Confabulario definitivo

Letras Hispánicas

Juan José Arreola

Confabulario definitivo

Edición de Carmen de Mora

SÉPTIMA EDICIÓN

CÁTEDRA

LETRAS HISPÁNICAS

1.ª edición, 1986
7.ª edición, 2011

Ilustración de cubierta: Luis García

© Juan José Arreola
© Ediciones Cátedra (Grupo Anaya, S. A.), 1986, 2011
Juan Ignacio Luca de Tena, 15. 28027 Madrid
Depósito legal: M. 32.363-2011
I.S.B.N.: 978-84-376-0575-3
Printed in Spain
Impreso en Anzos, S. L.
Fuenlabrada (Madrid)

Índice

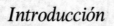

Introducción

El nombre de Arreola suele ir emparejado en México con el de Juan Rulfo, quien, sin embargo, cuenta con una mayor aprobación por parte de la crítica. El tándem Rulfo-Arreola tiene mucho que ver con la coincidencia entre su aparición y el auge literario de México, y con la circunstancia de que un grupo de amigos propicia el prestigio de su producción. Ambos se aproximan, además, por la voluntaria marginalidad con que han tratado de preservar su obra del mercado literario. Arreola no disimula la incomodidad ante el hecho de haberse beneficiado de la literatura, aun indirectamente, porque siente que se contamina un quehacer completamente auténtico y discreto, al hacerse público.

Nació en Zapotlán (hoy Ciudad Guzmán), tierra volcánica que dio nombres ilustres de la pintura y literatura: José Clemente Orozco, Mariano Azuela, Agustín Yáñez y Juan Rulfo, entre otros, el 21 de septiembre de 1918.

En los escasos y dispersos detalles que Arreola ha divulgado de su biografía se reconoce neurótico y autodidacta, condición que propició, ya en su niñez, la lectura de Baudelaire, Whitman y de los que considera maestros de su estilo, Papini y Marcel Schwob.

Publica los primeros cuentos en las revistas *Eos* y *Pan* de Guadalajara, donde colaboraban también Rulfo y Antonio Alatorre, y en los periódicos *El Occidental* y *El Vigía.* En este último apareció, en 1937, *El bardo,* considerado su primer cuento. A los quince años empieza las incursiones por territorio mexicano; en primer lugar, a Guadalajara, donde permanece dos años, y luego a México. La salida física es asimismo una aventura espiritual. En los tres años de permanencia en México tuvo oportunidad de contactar

11

con los dos grupos que renovaron la literatura mexicana y le dieron proyección universal: «Contemporáneos» y «Taller». Con Xavier Villaurrutia y Rodolfo Usigli estudió teatro, una vocación que le deparó grandes satisfacciones. «Metido en el teatro hasta el cuello» escribe tres breves farsas: *La sombra de la sombra, Rojo y negro,* de filiación stendhaliana, y *Tierra de Dios.*

Años más tarde regresa a su pueblo y se gana la vida en la enseñanza; conoce a Louis Jouvet, a su paso por Guadalajara, quien lo llevó a París en 1945. Gracias a este apoyo pudo desarrollar toda la potencialidad creadora que hasta entonces apenas despuntaba en él: «Mi vida está dividida en antes del viaje y después del viaje» —confiesa. Cuando regresa a México, tras haber debutado en el escenario de la Comedia Francesa, ya era profeta en su tierra. A través de Antonio Alatorre se introduce en el Fondo de Cultura Económica como autor de solapas, y tuvo la inmensa fortuna de encontrar la protección de Alfonso Reyes: él le proporcionó una beca del Colegio de México con la que publicó su primer libro de cuentos, *Varia Invención,* en 1949. Este hombre, de estatura pequeña, ágil y nervioso, de mirada vivísima y cuerpo de bailarín, que desde 1930 había ejercido toda clase de oficios, desde vendedor ambulante hasta mozo de cuerda, cajero de banco y panadero, se define por fin en su única y verdadera vocación. *Varia Invención* es el primer libro de una serie más corta de lo que desearían sus lectores pero no insuficiente para aquilatar su talento. Él mismo ha dicho que su obra es escasa porque siempre la está podando: «prefiero los gérmenes a los desarrollos voluminosos». La publicación de *Confabulario* (1952) lo consagra definitivamente. Que es el libro más personal e íntimo del escritor se deduce de su propensión a dar ese mismo título a sucesivas recopilaciones de cuentos; así publica el *Confabulario total* (1962), colección que reúne, además de los libros citados, el *Bestiario* (1958) y algunas piezas nuevas, y el nuevo *Confabulario* (1966) que incluye una sección nueva de textos breves titulados «Cantos de mal dolor (1965-1966).» En el prólogo a la edición definitiva de sus obras completas reconoce que *Varia In-*

vención, Confabulario y *Bestiario* se contaminaron entre sí, a partir de 1949. De ahí la decisión de devolverle a cada libro lo suyo en dicha edición de Joaquín Mortiz (1971).

En 1954 dirige la colección «Los Presentes» destinada a difundir las obras de los escritores jóvenes; en ella se dieron a conocer autores de la talla de Carlos Fuentes y José Emilio Pacheco.

Si Arreola ha sido considerado un escritor intelectualizado, de relatos preferentemente fantásticos, a despecho de otra vertiente más bien ligada a la vida rural, su primera y única novela, *La Feria* (1964), supone el intento de calar en la corriente indigenista tradicional en la novelística mexicana desde la Revolución. La originalidad de *La Feria* —que no la novedad— radica en la técnica narrativa. Estructurada mediante un contrapunto de voces, apenas deja un mínimo espacio para el narrador. Son los personajes los que hablan. Las voces se van contraponiendo unas a otras en forma de variaciones, y la colectividad indígena soporta una parte considerable de este edificio musical. El interés de la novela en el tratamiento del mundo indio resulta de su literaturización; cómo la voz popular se articula en la obra ya sea individualmente, a través de la figura patriarcal de Juan Tepano, o en un coro innominado de voces a semejanza de las tragedias griegas. El Arreola de *La Feria* no es exclusivamente el escritor que toma distancia mediante la alquimia verbal y la ironía para crear un clima de «confabulación» con el lector. Decir que la novela se refiere a su pueblo natal es tanto como afirmar su carácter autobiográfico dentro de la ficción. Sin contarnos su vida, quiere descubrirse a sí mismo, y en esa búsqueda la realidad de Zapotlán o de Ciudad Guzmán lo tienta, porque —como ha dicho Paz— «el hombre nunca es él enteramente, siempre inacabado, sólo se completa cuando sale de sí mismo y se inventa».

A partir de *La Feria* y de *Palíndroma* Arreola ha pasado a engrosar las filas de los grandes escritores mexicanos del silencio, junto con Gorostiza y Rulfo. En la actualidad es asesor del Centro Mexicano de Escritores y de varios talleres literarios, y ocupa la cátedra de «Creación Literaria» en la Universidad Nacional Autónoma de México.

ITINERARIO DEL CUENTO MEXICANO

En los orígenes del cuento mexicano está siempre la figura inaugural de Alfonso Reyes. El capitanea una de las dos vertientes narrativas cultivadas por los escritores que se agruparon en torno al Ateneo de la Juventud fundado en 1909, cuya labor se prolongaría en colonialistas y contemporáneos. Junto con *Ensayos y poemas* de Julio Torri, su libro *El plano oblicuo* (1920), escrito en México, corregido y publicado en España, representa la línea fantástica; en el otro extremo, la prosa realista de Martín Luis Guzmán y Vasconcelos, que se instala en el contexto histórico de la Revolución. Esto no quiere decir que aquellos ignoraran el presente, pero su mirada apuntaba más lejos, su revolución era más espiritual que sujeta a necesidades materiales. En cualquier caso existe una especie de sincronía entre los cambios en las directrices políticas de los sucesivos gobiernos mexicanos y las preferencias temáticas de los escritores. Así, durante el gobierno de Lázaro Cárdenas (1934-1940) que intentó llevar a cabo la reforma agraria surge una prosa preocupada indistintamente por los temas campesinos e indigenistas. Cuando el sucesor Ávila Camacho (1940-1946) se propuso industrializar México, la literatura se desplazó a la ciudad. Los cuentos de *Dios en la tierra* (1944) de José Revueltas, «con su hondo fatalismo en la concepción del destino humano» —al decir de Fuentes—, cierran una etapa e inauguran otra. Es el Ecuador del cuento mexicano contemporáneo, por lo tanto significan para la narración breve lo que representó *Al filo del agua* de Agustín Yáñez para la novela mexicana. Libro convergente y confluyente como lo fue el régimen de Miguel Alemán (1946-1952), quien pretendió unir la proclividad nacionalista de Cárdenas con el fervor industrial de Ávila Camacho. Precisamente durante su mandato se publicaron los dos primeros libros de Juan José Arreola: *Varia Inven-*

ción (1949) y *Confabulario* (1952). Con ellos penetraba en la literatura mexicana una veta humorística prácticamente ausente hasta entonces. «En los cuentos de Arreola —afirma E. Carballo— el humor y la alegría se imponen en apariencia a la irritación y los dolores metafísicos... en él los lastres que venía padeciendo nuestra prosa (el costumbrismo, la adoctrinación, la actitud anacrónica con que se juzga la historia, escrita en otros lugares) han desaparecido sin dejar huella»[1]. Sin embargo, cuando trata temas de la vida provinciana adopta un estilo realista notoriamente distinto al de sus cuentos fantásticos.

Lo que en Arreola es alternancia en Rulfo es síntesis: una atmósfera mágica circunda en *El llano en llamas* las tierras desoladas, la miseria y el fatalismo de la comunidad mexicana rural, fruto del fracaso revolucionario.

Tras Rulfo, Carlos Fuentes culmina esta etapa de madurez del cuento mexicano con *Los días enmascarados* (1954) y sobre todo en *Cantar de ciegos.*

Las promociones más recientes buscan su identidad en la oposición a los falsos valores de la sociedad mexicana moderna —progreso industrial, educación e ideal revolucionario— que sustituyen por otros como el amor, la amistad o la belleza.

Si en un principio distinguíamos dos tendencias en la narrativa mexicana, una más imaginativa y otra más realista, distinción muy común a la mayor parte de las literaturas, actualmente esta dicotomía se resuelve —siguiendo a Marco Glantz[2]— en los términos onda y escritura o, como diría Paz, crítica social y creación verbal. La necesidad psicológica de los jóvenes de ser y sentirse diferentes crea el lenguaje continuamente renovador de la onda. Más que una invención es:

---

[1] Emmanuel Carballo, Prólogo a *Narrativa mexicana de hoy,* Madrid, Alianza Editorial, 1969, pág. 20.

[2] *Onda y escritura en México: jóvenes de 20 a 33,* Estudio Preliminar de Marco Glantz, México, Siglo XXI, 1971.

El advenimiento de un tipo de realismo en el que el lenguaje popular de la ciudad de México, ese lenguaje soez del albur tantas veces mencionado, al que los jóvenes tienen acceso en las escuelas, a través de los *sketches* cómicos de carpas, y hasta de la televisión, ingresa en la literatura directamente. El humor que del diálogo se desgaja suele encubrir en muchas ocasiones —Orlando Ortiz, Sainz, Agustín, Avilés, Páramo, García Saldaña, Monjarrez— el miedo siempre presente de enfrentarse a la muerte, al envejecimiento prematuro, a la adultez, a la descomposición del amor[3].

Del otro lado, la escritura, con la preocupación por el lenguaje y el tejido narrativo. Sin ser excluyentes, onda y escritura carecen de principios comunes. La narrativa de la onda se sirve del lenguaje para explorar el mundo, antepone el contenido a la forma. A los narradores de la «escritura» les preocupa el lenguaje y la experimentación formal en un intento de liquidar las formas narrativas tradicionales. Vicente Leñero, Salvador Elizondo, Juan García Ponce, Carlos Fuentes y José Emilio Pacheco militan en sus filas. Muchos de los escritores más jóvenes proceden del taller literario fundado por Arreola, *Mester,* junto con la revista del mismo nombre.

EL UNIVERSO CONFABULADO DE ARREOLA

Una de las posibles razones que justifican el vacío crítico en torno a la obra de Arreola es la propia actitud del escritor. A diferencia de otros autores contemporáneos, dista de ser un «crítico practicante» en el sentido que le daba T. S. Eliot: ningún ensayo que muestre con claridad las filiaciones literarias, los gustos y preferencias. Sí existen declaraciones, casi siempre improvisadas, en las numerosas charlas y conferencias pronunciadas en diversas universidades; fue en la Universidad de Texas (Austin) donde confesó: «No he podido entender de dónde me vino la voca-

---

[3] *Ibídem,* págs. 22-23.

ción literaria, que ha sido real, pero que se ha desperdigado, destruido...» Palabras testimoniales tanto de la ausencia de un espacio intelectual que ilumine al lector y al mismo creador sobre los secretos de la obra, como de la indolencia creadora que tantos reproches le ha merecido. No es menos cierto que algunas razones justifican esta actitud. Su horror ante una literatura de recetario y a ese «negocio de embutidos» que es el negocio editorial le ha dejado «en la quebrada del que escribe poco». A falta de ese espacio incita al lector a confabularse con él y crearlo a través de la lectura.

La lectura de los cuentos de Arreola revela en su totalidad un interés cardinal por la urgencia de crear un nuevo humanismo, en corvengencia con escritores como Cortázar y Paz. Aquella consigna del poeta mexicano y de «Taller» —«cambiar al hombre» y «cambiar la sociedad»—, la literatura como vía para la reconciliación del hombre consigo mismo y camino de salvación de la barbarie técnica, la búsqueda cortazariana del hombre nuevo y auténtico son también la consigna y la búsqueda de Arreola. Varían los modos de aproximación.

Al progreso técnico contrapone el progreso ético:

> La gente ahora se enriquece a costa de su pobreza espiritual en medio del apogeo de ciencias y técnicas. Ella es la prueba evidente del fracaso de nuestra civilización, que siempre ha ido contra la vida. (*LPE,* pág. 12)

Ante la pérdida del estímulo religioso y con él la promesa de una vida trascendente y eterna «nos queda la posibilidad de pensar en una nueva ética y una nueva mística, de un nuevo humanismo en que seamos obreros calificados de acciones humanas». (*LPE,* pág. 27). Su idea del verdadero progreso no consiste en grandes realizaciones técnicas ni hallazgos científicos deslumbrantes sino en la mayor realización del ser humano como persona. No es extraño que profese un sagrado horror a la inteligencia y a la razón —aunque lógicamente haga uso de ellas— y se declare irracionalista por ser una forma más profunda o más alta de lo racional: «De mí todo ha salido del reino de las intuiciones. Lo único que vale en la vida es lo que brota de esa zona secreta...»

Estas dos coordenadas, humanismo e irracionalismo, sitúan a Arreola en la línea del antropocentrismo fantástico inaugurada por Kafka. Una tendencia surgida del desastre de la guerra que conmocionó todas las bases del aparentemente sólido edificio del mundo occidental. Al deterioro de los valores religiosos y éticos se sumó el derrumbamiento del orden económico. Ni siquiera el muro de las certezas euclidianas pudo resistir los embates. Sartre ha reconocido que, en lo literario, después de la gran fiesta metafísica de la posguerra, que terminó con un rotundo fracaso, surgió una nueva generación de artistas y escritores que por orgullo, humildad y seriedad llevó a cabo un retorno a lo humano. Lo fantástico no es, para el hombre contemporáneo, sino una manera entre cien de devolverse su propia imagen. En este orden lo fantástico actual ha franqueado los límites de lo fantástico tradicional irrumpiendo a la sombra del progreso científico en un nuevo rango antropocentrista. El dominio de la naturaleza por el hombre ha desvanecido los viejos temas alimentados en gran parte por la superstición, la credulidad y el temor a lo desconocido para dar paso a otros temas derivados del nuevo humanismo. Otra diferencia hiperbólica de la nueva escritura es que lo fantástico se enseñorea del relato con toda naturalidad, y el hombre —no sólo los acontecimientos— se convierte él mismo en objeto fantástico.

Arreola encuentra en la conjunción de humanismo e irracionalismo dos soluciones posibles al gran problema existencial que se debate en su obra: el drama del ser, la complejidad del ser y estar en el mundo. A partir de esta preocupación ética los cuentos del escritor mexicano son un intento de fijar en una forma viva su percepción del mundo externo, de los otros y de sí mismo. En ellos se cumple aquella metáfora que Cortázar solía aplicar al cuento perdurable: *temblor de agua dentro de un cristal*. Las vivencias son de dos órdenes. Las que toma de sí mismo, consideradas estaciones individuales y las que capta del mundo

18

que lo rodea: «En lo que he escrito encuentro esas dos instancias: lo que procede de mi percepción de lo general y lo que constituye lo mío y que trato de fijar de una manera que se vuelve cada vez más espiritual»[4].

El mérito de Arreola es haber sabido tomar la distancia necesaria para que ambas instancias se fundan en una.

CLAVES TEMÁTICAS

Crítica social: la denuncia de un mundo deshumanizado

En este grupo se encuentran algunos de los mejores cuentos del escritor mexicano: «En verdad os digo», «El guardagujas», «El prodigioso miligramo», «Baby H. P.», «Anuncio» y «El cuervero.»

«En verdad os digo» parte de la famosa sentencia de Jesucristo: «... es más fácil que un camello entre por el ojo de una aguja que un rico en el Reino de los Cielos». Un sabio, Arpad Niklaus, propone un plan científico para desintegrar un camello y hacerlo que pase en chorro de electrones por el ojo de una aguja de coser para un fin «caritativo y radicalmente humanitario: salvar a los ricos». Basta con invertir su capital en el proyecto para que los poderosos puedan ganar la vida eterna. Si el proyecto tiene éxito «convertirá a los empresarios de tan mística experiencia en accionistas de una fabulosa compañía de transportes». Si fracasa, los ricos, «empobrecidos en serie por las agotadoras inversiones entrarán fácilmente al reino de los cielos por la puerta estrecha (el ojo de la aguja), aunque el camello no pase». La crítica de Arreola dispara en varios frentes. En el campo de los experimentos científicos, tanto por su utilización posterior («sabios mortíferos de esos que manipulan el uranio, el cobalto y el hidrógeno»), como por el dislate del objetivo («también ha podido evaluar (...) la

    [4] Emmanuel Carballo, *Diecinueve protagonistas de la literatura mexicana* (entrevista con Arreola), México, Empresas Editoriales, 1965, página 367.

energía cuántica que dispara una pezuña de camello»). Ataca el protagonismo de los norteamericanos en su avidez coleccionista («Nueva York no ha vacilado en exponer su famosísimo dromedario blanco»); a los impostores que sorprenden a los incautos con el fraude; a las sociedades filantrópicas que enmascaran los fines lucrativos con pretextos humanitarios, y, en general, a todo el aparato burocrático sistemáticamente organizado para perpetuar este tipo de fundaciones.

Como un nuevo Mesías, Arreola profetiza en este relato sobre el futuro de una Humanidad que en aras de la ciencia y del progreso tecnológico camina a pasos agigantados hacia su desintegración.

No es desmesurado afirmar que una buena parte de los restringidos estudios sobre la narrativa de Arreola se deben a la fascinación de «El guardagujas.» Ningún relato de *Confabulario* —y los hay más oscuros— ha suscitado tantas interpretaciones[5].

El comienzo recuerda «The signalman» de Dickens. Los asemeja la presencia de los dos personajes —guardavías y visitante— y la luz roja —linterna que sostiene el guardavías de Arreola y luz a la entrada del túnel en el cuento de Dickens.

---

[5] Para Seymour Menton es «mitad sátira realista que toma como blanco las irregularidades de los ferrocarriles mexicanos, y mitad fantasía quintaesenciada» y los fantásticos incidentes relatados por el extraño guardagujas, constituyen, en sentido lato, la respuesta de Arreola al mercantilismo del siglo XX. Clara Passafari encuentra planteada en «El guardagujas» la actitud filosófica de Arreola sobre el destino del hombre. Luis Leal distingue tres niveles de significado que van desde lo obvio, la crítica de los ferrocarriles, a la «sutil sátira de las instituciones sociales» y «una penetrante inquisición de la naturaleza de la realidad». Evelio Echevarría extrae de «El guardagujas» un ideario existencial y vital de tipo pragmático opuesto al pesimismo de los primeros existencialistas. T. O. Bente ve la simbolización de una estructura gubernamental. Jerry Newford lo interpreta en un nivel simbólico, «como crítica de un sistema político de cualquier denominación» y como sátira social. Por último, Bertie Acker recoge en la suya las conclusiones de Luis Leal y coincide con Evelio Echevarría en la lección que pretende darnos Arreola: «disfruta del viaje aunque el destino sea incierto».

Al principio, el forastero está dominado por la certeza de lo que quiere y de cómo conseguirlo: «¿Está usted loco? Yo debo llegar a T. mañana mismo», le dice al guardagujas. Este, a su vez, dueño de la situación, le comenta, más adelante, con una desmedida ironía: «Me gusta que no abandone usted su proyecto. Se ve que es usted un hombre de convicciones» (*C.* pág. 80). Progresivamente los argumentos del viejo ferroviario lo introducen en el desorden de la compañía, hasta culminar en el último segmento textual. Cuando al final le pregunta su nombre, el viajero responde: «—¡X!» Respuesta que simboliza la despersonalización, la pérdida de identidad para quien ha entrado en el reino de las apariencias y las irrealidades. También el viejecillo «se disolvió en la clara mañana». Coincido con Evelio Echevarría en considerar al guardagujas el personaje clave, aunque discrepo en las funciones que le atribuye[6]. Según el Diccionario de la R. A. E., guardaguja es «el empleado que en los cambios de vía de los ferrocarriles tiene a su cargo el manejo de las agujas, para que cada tren marche por la vía que le corresponde». En el cuento, «cambia la vía» del viajero para introducirlo en «el mundo al revés», donde no existen fines ni metas porque todos los caminos hacia el porvenir se han borrado. En esta rebelión de los medios contra los fines sitúa Sartre la esencia de lo neofantástico. También el guardagujas es un personaje-medio, un intermediario que introduce al forastero en la sociedad sin fines. Sin embargo, a poco que nos adentremos en la urdimbre narrativa nos sorprende el hallazgo de otras funciones subterráneas. El hecho de que se utilice el estilo directo como modo narrativo le confiere el estatuto de narrador. La intervención de un narrador innominado en tercera persona aparece exclusivamente al comienzo y al final, siendo el guardagujas el fabulador de todo lo referente a la compañía. Precisamente el relato fantástico requiere

---

[6] «En mi opinión —afirma este autor— el guardagujas representa la suma de instintos acumulados en el hombre por milenios de vivir en sociedad» («El guardagujas: ideario vital y existencial de Juan José Arreola», *Nueva Narrativa Hispanoamericana,* IV, ene.- sep. 1974, pág. 222).

como narrador un testigo de los hechos que informe con cierta objetividad y no se halle bajo los efectos del choque con lo insólito. Que pueda, en suma, garantizar la credibilidad de la enunciación. Bellemin-Noël lo denomina narrador-testigo o «relevo»[7], pues toma el relevo del protagonista por hallarse éste incapacitado para contarnos lo ocurrido. En el cuento que nos ocupa sólo el viejecillo puede contar porque es el único que posee información. Y es el vector de lo fantástico porque subraya la inadecuación entre las leyes del «mundo al revés» y las normas comunes. Para que el relato fuera posible se necesitaba un especialista bien informado, un punto de intersección entre el mundo de los viajeros y el mundo de la compañía ferroviaria. Esta función narrativa se denomina «efecto de ideología»[8] e instaura una especie de estadio intermedio entre el narrador ausente y el enunciado orientado hacia las acciones del héroe.

La ausencia de fines y de límites provoca una sensación de infinitud figurada simbólicamente por el viaje. Los trenes no tienen obligación de pasar por ningún punto concreto, pero pueden hacerlo; se compran billetes para trayectos cuyos planos ni siquiera han sido aprobados; decorados que simulan estaciones y muñecos humanos rellenos de serrín; trenes detenidos que, mediante efectos especiales, parecen estar en marcha. En el peor caso, los viajeros quedan abandonados en cualquier lugar remoto e incomunicado. Arreola parece decir con Kafka: «Todo es nada más que imaginación, la familia, la oficina, los amigos, la calle, todo es sólo imaginación.»

La compañía ferroviaria adquiere tanta o más entidad que un personaje. Lo relativo se yergue en la forma de lo Absoluto y reduce al individuo a la pasividad haciendo de ella su razón de ser y su destino:

Se aspira a que un día se entreguen plenamente al azar, en manos de una empresa omnipotente, y que ya no les

---

[7] Jean Bellemin-Noël, «Notes sur le fantastique», *Littérature*, núm 8 París, diciembre, 1972, pág. 5.

[8] *Ibídem*, pág. 15.

importe saber a dónde van ni de dónde vienen. (*C*, página 83)

Es sabido que todo poder, a fuerza de racionalizar lo real, establece la homogeneidad del orden y el desorden.

Las infinitas ramificaciones de la Compañía equivalen a la de todo un sistema social: servicios funerarios, asociaciones, héroes de la patria, venalidad de los funcionarios, centros de enseñanza, red de espías, cárceles, paraísos artificiales, lucha de clases. Ni siquiera falta la proyección utópica que estimula el progreso y garantiza la pervivencia:

> La aldea de F. surgió a causa de uno de esos accidentes. El tren fue a dar en un terreno impracticable. Lijadas por la arena, las ruedas se gastaron hasta los ejes. Los viajeros pasaron tanto tiempo juntos, que de las obligadas conversaciones triviales surgieron amistades estrechas. Algunas de esas amistades se transformaron pronto en idilios, y el resultado ha sido F., una aldea progresista llena de niños traviesos que juegan con los vestigios enmohecidos del tren[9]. (*C*. pág. 80)

Sartre ha subrayado la eficacia de este recurso kafkiano para crear el nuevo universo fantástico: las grandes administraciones, la gran burocracia guardan el mayor grado de semejanza con una sociedad al revés.

La compañía ferroviaria proyecta la imagen invertida de una sociedad —la sociedad real— que prodiga la apariencia y la simulación o el engaño. Y si a todo relato fantástico corresponde una figura retórica, la suya es la paradoja: no existen vías, pero circulan los trenes; en lugar de acortar distancias, los trayectos duran más que la propia vida, molestia que se soluciona enganchando vagones-féretros; y el guardagujas manipula una linterna de juguete.

En «El prodigioso miligramo», Arreola inventa una variante del mismo tema. La fábula trasciende el modelo de

---

[9] Esta aldea utópica nos recuerda la comunidad, también surgida de manera improvisada, de «La Autopista del sur» de Cortázar.

sociedad animal ejemplificado para cuestionar a partir de él las relaciones individuo-sociedad y literaturizar aquel precepto borgiano de que lo que hace un hombre afecta a todos los hombres. Heredero de bestiarios y de fábulas medievales recupera una tradición que renace en el didactismo dieciochesco, empeñado en ver el lado animal de lo humano. Los mandamientos que preceden al volumen *Bestiario,* entre la conmiseración, el humor y el sarcasmo, muestran la compleja actitud de Arreola al respecto:

> Saluda con todo tu corazón al esperpento de butifarra que a nombre de la humanidad te entrega su credencial de gelatina, la mano de pescado muerto, mientras te confronta su mirada de perro.
> Ama al prójimo porcino y gallináceo que trota gozoso a los crasos paraísos de la posesión animal. Y ama a la prójima que de pronto se transforma a tu lado, y con piyama de vaca se pone a rumiar interminablemente los bolos pastosos de la rutina doméstica. (pág. 9)

El autor elige el mundo de las hormigas en razón del lugar privilegiado que ocuparon en la fábula tradicional y del funcionamiento perfecto de su régimen social basado en la división del trabajo, que se ha comparado siempre con el modelo humano. Por otra parte, no debemos soslayar que la rigidez del sistema hace más significativo todo desvío de la norma. Así, en la primera parte, la hormiga que, en lugar de la consabida carga de maíz o lechuga, soporta un prodigioso miligramo será condenada a la marginación y a la muerte. Vieja Historia de quienes pagaron con el ostracismo o con la vida el descubrimiento de nuevos caminos para el progreso del hombre. Más tarde, la sociedad, una vez cometido el crimen, adora aquello mismo que condenó, reconoce a título póstumo el valor del prodigioso miligramo y proclama heroína oficial a la víctima. Los mismos representantes del orden establecen el culto a la hormiga mártir y la religión del prodigioso miligramo. La autoridad se ve desbordada por la población que, absorbida en la búsqueda de miligramos auténticos y falsos, a cambio de prebendas y honores, olvida sus tareas más elementales y rechaza toda

24

disciplina. Finalmente, el caos se apodera de los individuos y del sistema hasta la total extinción de la especie.

«El prodigioso miligramo» es un alegato contra uno de los males por excelencia de nuestra sociedad; la voluntad de posesión que nuestro autor asocia a la idea de destrucción:

> ¿Por qué ese afán de levantarse mediante el zigurat de Babilonia, las pirámides de Egipto y todas esas estructuras que ostentamos vanamente en tantos lugares de la tierra? Pero no mejoramos la vida. (*LPE*, pág. 16)

No menos rechazable es el liderazgo para quien —como Arreola— opina que cada hombre debe ser capaz de conducirse por sí mismo. En la hormiga mártir ataca el hedonismo:

> Necesitamos relacionar el espíritu y la materia, y no dejar el espíritu en esa vagancia que aunque nos haya producido buena música y buena poesía, nos ha costado también tantos delirios de grandeza. El espíritu se ha vuelto un falso truchimán, un lenguaraz que pervierte el mensaje porque no lo subordinamos a la vida. (*LPE*, pág. 19)

La sociedad descrita en la fábula corresponde al hombre inauténtico, al ser alienado, reducido a la despersonalización, es la *multitud* de Kierkegaard y el *das man* heideggeriano. Es la vida de las masas —que no del pueblo— movida por el instinto de imitación, automatismo del acto y funcionalidad de la acción cuando no del propio individuo. En este tipo de sociedad la posesión es la meta. Arreola se rebela contra esta errónea manera de entender el mundo, contra «la primacía de la categoría del tener sobre la del ser», sin percatarnos de que en esa obsesión es el propio individuo el que se pierde.

En el cuento analizado el escritor mexicano invierte la fábula o inventa la antifábula, y en esa inversión, la hormiga se convierte en modelo negativo de la antigua ejemplaridad que ostentaba, vale decir, la previsión, la eficacia y perfección en la organización social.

El humor, más epidérmico, de «Baby H. P.» y «Anuncio» no invalida el efecto corrosivo de la crítica a la creciente degradación de la humanidad en nombre del progreso y de la técnica. Curioso que los dardos, en este caso, no apunten al sistema en general, sino al modelo por excelencia de sociedad capitalista: los Estados Unidos. En el primero, la firma responsable del producto lleva el sello «made in USA.»

> La metáfora profunda de «Baby H. P.», que es casi invisible [ha explicado Arreola], la constituye la sospecha de que los niños pueden morir electrocutados por la corriente que ellos mismos generan o, lo que es igual, que el hombre puede aniquilarse a sí mismo, psíquicamente[10].

El recurso de lo fantástico hiperbólico —un aparato capaz de transformar la vitalidad de los niños en energía eléctrica— no anula la sospecha de que todo parece posible en una sociedad utilitaria y pragmática que antepone los fines lucrativos a cualquier sentimiento humanitario:

> Los rumores acerca de que algunos niños mueren electrocutados por la corriente que ellos mismos generan son completamente irresponsables. Lo mismo debe decirse sobre el temor supersticioso de que las criaturas provistas de un Baby H. P. atraen rayos y centellas. (C, pág. 122)

«Anuncio» invierte el proceso. Antes se producía la cosificación del ser humano al transformarlo en un generador de energía, ahora es la pretendida humanización de un objeto prefabricado: la Venus Plastisex. El denominador común es la impostura: vestir lo falso con el ropaje de lo auténtico.

La mímesis del lenguaje publicitario más que una proeza verbal es el instrumento idóneo para criticar a la sociedad con sus propias armas, crítica que en «Anuncio» salpica a la propia Iglesia por su intransigencia en lo relacionado con la sexualidad. El trasfondo de este «sketche» pu-

---

[10] Emmanuel Carballo, *Diecinueve protagonistas...*, *op. cit.*, pág. 387

blicitario es la conversión de la mujer-objeto en el objeto-mujer, inversión lógica originada por la pérdida de su función natural en la sociedad de consumo. Por la alusión velada a una filial japonesa, el contexto, como en «Baby H. P.», corresponde a la sociedad americana.

Antes de avanzar en el análisis arriesgaré algunas conclusiones. La escritura de Arreola ofrece una versatilidad que se proyecta en varias direcciones o niveles. De todos ellos, destacaré al menos uno: el nivel metafórico o simbólico. Para atacar el «sociomorfismo» privativo en nuestra sociedad eligió el automatismo funcional de las hormigas; y cuando quiso aventurar un futuro apocalíptico de autodestrucción para la humanidad recurrió al niño, símbolo del futuro, fuerza de carácter benéfico, héroe salvador y alba de la edad de oro. En «Anuncio» una muñeca sintética le arrebata a la mujer sus máximas implicaciones simbólicas: *Magna Mater,* raíz, principio, origen, tierra, naturaleza. El ataque va dirigido, en la misma medida, al hombre, infatigable buscador de la mujer-objeto, y a la mujer, que pretende desligarse de sus funciones naturales para desarrollarse unilateralmente en un nivel competitivo con el hombre: «Al popularizarse el uso de la Plastisex, asistimos a la eclosión del género femenino, tan largamente esperada» (*C,* 128).

En «El cuervero» Arreola sigue una línea si no extraña a su estilo, poco habitual en su obra, línea que potenciará en una multiplicidad de variantes en *La Feria.* El paisaje, los personajes, la lengua coloquial, la atmósfera realista, destilan una prosa muy distinta a la de los restantes cuentos de esta serie. Si existe un denominador común, la crítica social, varía el enfoque. Hemos pasado de lo fantástico alegórico a un tratamiento realista, de lo abstracto a lo concreto: la vida del campesino mexicano que se gana la subsistencia como cuervero o haciendo adobes, a cargo del propietario.

La técnica circular coadyuva al fatalismo que impregna el destino de los personajes y es un punto bisagra entre las dos situaciones dramáticas que contrapuntean el texto. Una es la lucha que el trabajador debe sostener con cuervos y tuzas para alejarlos del maíz y conseguir algún dinero a cambio. Otra, la lucha con esos cuervos invisibles que tratan de arrancarle la vida de su hijito. Véase circularidad y contrapunto en los segmentos que abren y cierran el texto respectivamente:

> Los cuervos sacan de la tierra el maíz recién sembrado. También les gusta la milpita tierna, esas tres o cuatro hojitas que apenas van saliendo del suelo. (*VI,* pág. 216)

> El niño de Hilario nació y murió en la temporada de siembra. Cuando los cuervos van volando sobre los potreros y buscan entre los surcos las milpitas tiernas, que acaban de salir de la tierra y que brillan como estrellitas verdes (*VI,* pág. 225)

La frustración producida por la precaria situación económica se vicia con la desgracia familiar sin otra alternativa que la resignación o la lucha sin esperanza. Sin alzar la voz, Arreola suspende en intensos destellos poéticos los asordinados ecos de su solidaridad.

Existe en *Confabulario* un grupo de relatos que incluyo en este apartado porque, de uno u otro modo, tratan de la inadecuación entre el individuo y la sociedad; me refiero a las biografías.

Al escritor mexicano le interesan no los héroes sino los antihéroes. La vida de quienes cumplieron su destino sin importarles el fracaso, como Sinesio de Rodas, autor de una herejía que «ni siquiera tuvo el honor de ser condenada en concilio»; como Nabónides, quien volcado en la empresa de restaurar los tesoros arqueológicos de Babilonia y copiar las 800.000 tabletas de que constaba la biblioteca babilónica, le volvió la espalda al presente y precipitó la caída de su imperio. En «Baltasar Gérard» consigue la radiografía del asesino que ejecuta el crimen con toda frialdad, sin apasionamiento, con la entereza de un auténtico héroe, la misma que mantiene cuando le conducen al cadalso para pagar la culpa. En «Los alimentos terrestres» nos presenta una sucesión de fragmentos inacabados de cartas en los que un personaje innominado se dirige a una autoridad solicitándole el dinero necesario para el sustento, y así no perecer de hambre. Al final, nos desvela que pertenecen al epistolario de Góngora. En este caso, el autor ha elegido una de las figuras que mayor gloria alcanzaron en las letras universales para mostrar la paradoja de su vida cotidiana, abatida por la incomprensión, las penalidades y la miseria.

Nostalgia de la mujer y crítica del matrimonio

La actitud de Arreola hacia la mujer no deja de ser paradójica. Él mismo reconoce haber agredido en diversos textos a la que, sin embargo, constituye el leitmotiv de su existencia: «Llamo aquí la atención sobre el carácter blasfematorio que tienen, en el más religioso sentido de la palabra, mis alusiones procaces a la mujer, ya que en ella venero la fuente de la última sabiduría, la puerta de reingreso al paraíso perdido»[11].

No resulta fácil atribuir ésta última frase a quien, a su vez, considera a la mujer una devoradora de hombres, al estilo de la hembra de «Insectíada» (B), que se comporta, en sus relaciones con aquellos, como el verdugo con la víctima:

> La mujer caza a la mariposa que representa el espíritu porque se siente como un capullo vacío. Nostalgia que experimenta al ser ella, al mismo tiempo, la materia prima de la crisálida y del insecto que vuela. La mujer padece frente al hombre un sentimiento de pérdida[12].

Sólo si tenemos presente que para Arreola hombre y mujer representan dos naturalezas irreconciliables comprenderemos su actitud. Basándose en las reflexiones de autores como Helen Deutch, Simone de Beauvoir, Gina Lom-

---

[11] *Ibídem*, pág. 376.
[12] *Ibídem*, pág. 380.

broso, y Otto Weininger postula que en el ser femenino reside la parte material y se asocia con la arcilla y la tierra; en cambio, la parte espiritual y aérea corresponde al ser masculino. Tal sería el resultado de la división del ser bisexual, absoluto y original. No es preciso forzar el razonamiento para explicar la tendencia de la mujer, forma vacía, a colmarse a través del espíritu, del hombre, y a devorarlo. Esta teoría invierte el concepto tradicional del amor en Occidente inaugurado por la poesía trovadoresca que atribuye a la Dama —la mujer— el Ánima o parte espiritual del hombre, «inaccesible por esencia». En un extremo coinciden. No por corresponderle el espíritu deja el hombre de aspirar a completarse en la mujer:

> Yo me considero un dividido, un arrancado de esa ganga total. Padezco esa nostalgia y he tratado de expresarla en textos que pueden ser erróneamente interpretados como una crítica antifeminista. Desde la infancia he sido un ávido de completarme en la mujer. No concibo al hombre sin ese lecho en que reposa y toma forma, no concibo al hombre sin la confrontación[13].

De esa manera, Arreola contradice el sentir mexicano común —analizado por Octavio Paz en *El laberinto de la soledad*— de que la feminidad nunca es un fin en sí misma como lo es la hombría.

«Eva» ejemplifica estas teorías a la luz de Heinz Wölpe. En el brevísimo relato el autor propone, en el abrazo de los amantes, una tregua feliz en la eterna lucha de los dos principios antagónicos: «Y allí en la biblioteca, en aquel escenario complicado y negativo, al pie de los volúmenes, de conceptuosa literatura, se inició el episodio milenario, a semejanza de la vida en los palafitos» (*C*, pág. 89).

«In memoriam» narra el contrapunto real y doméstico de las teorías sexuales del barón Büssenhausen contenidas en su *Historia comparada de las relaciones sexuales*, cuyos 50 capítulos no le impidieron ser literalmente demolido

---

[13] E. Carballo, *El cuento mexicano del siglo XX* (Antología), México, Empresas Editoriales, 1964, pág. 70.

por «una mujer de temple troyano: la perfecta casada en cuyo honor se rindieron miles y miles de pensamientos subversivos...» El autor ha explicado el origen de este texto a partir de una frase de *Le grand écart* de Cocteau, que se refiere a la dureza de las almas: «refiero el choque de dos almas desiguales, fenómeno que ocurre frecuentemente en el matrimonio».

En estos relatos Arreola reactualiza los «ejemplos» medievales. En el leve hilo anecdótico se adivina un procedimiento didáctico —particularmente en el segundo— para apoyar teorías seudofilosóficas. A semejanza de Borges, Arreola se divierte literaturizando sus especulaciones y —como el argentino— confunde al lector en un dédalo de filósofos imaginarios y autores reales, obras apócrifas y auténticas.

En otros relatos la extrema diversidad de la escritura arreoliana se aleja de la actitud doctrinal anterior para irrumpir en el simbolismo mimético del bestiario: «En los animales aparecemos caricaturizados, y la caricatura es una de las formas artísticas que más nos ayudan a conocernos... El animal... sirve para criticar, para ver al sesgo ciertas cosas desagradables»[14]. Aplicando rasgos animales a la persona están escritos «El rinoceronte» y «Una mujer amaestrada»; depositando, de forma simbólica, una obsesión en ellos, creó «La migala.»

La idea de que la comprensión de los mitos ayuda a comprendernos mejor, da vida —en el primer relato citado— a la leyenda evocada en *Bestiario:* «Vencido por una virgen prudente, el rinoceronte carnal se transfigura, abandona su empuje y se agacela, se acierva y se arrodilla. Y el cuerno obtuso de agresión masculina se vuelve ante la doncella una esbelta endecha de marfil». (págs. 11-12) De este modo, el rinoceronte se transforma en el juez Mc Bride y la doncella, en Pamela, su segunda esposa. Sin embargo el personaje medular es la primera esposa del juez, quien narra la lucha ineficaz sostenida durante diez años cuerpo a cuerpo con el rinoceronte, sin más triunfo que el divorcio.

---

[14] E. Carballo, *Diecinueve protagonistas..., op. cit.,* pág. 399.

Ahora, por fin, le complace comprobar que la «romántica y dulce» Pamela sabe el secreto que ayuda a vencer a los rinocerontes: «... me gusta imaginar al rinoceronte en pantuflas, con el gran cuerpo informe bajo la bata, persistente, ante una puerta obstinada». Tanto desde la perspectiva de la esposa vengada como de la vengadora, el matrimonio se presenta como una relación abusiva y egoísta, ya por parte del hombre o de la mujer.

Seymour Menton encuentra en el paralelismo juez-rinoceronte el punto de vista inherente a los cuentos psicológicos de Rafael Arévalo Martínez.

«Una mujer amaestrada» es una de las narraciones más extrañas de Arreola, de ahí su esfuerzo por comentarla y explicarla, tal vez para comprenderse mejor a sí mismo. Si —según sus palabras— la idea le surgió un día que paseaba con su hermano y vio a alguien que trataba de educar a un perro, el resultado es visiblemente distinto. La escena del saltimbanqui y la mujer amaestrada caricaturiza la unión matrimonial. Él es el amante que ha modelado a la mujer y, pleno de orgullo, la exhibe ante el universo («coro de bobos»). La cadena y el látigo simbolizan la energía del varón reblandecida por el amor. El reparto de besos significa que la mujer no suele entregarse a un solo hombre sino que le gusta repartir la gracia y las virtudes. El espectador que interviene en el último momento es el hombre que pierde su espíritu en la trampa de la carne, «agujero donde uno se mete o cae fatalmente» [15].

Hombre y mujer están contemplados como seres incompletos, mas la extrañeza del texto, unida a una calculada ambigüedad, sugiere una pluralidad de lecturas. Las relaciones del saltimbanqui con la mujer no ocultan una especie de unión sadomasoquista. La mujer, bloqueada por la presión del domador sólo es capaz de danzar, de ser ella misma, cuando el espectador anónimo acompasa su ritmo con el de ella en un gesto de espontánea camaradería. Ahora bien, ¿el espectador innominado es realmente el hombre que sucumbe en la trampa de la carne —como propone Arreo-

---

[15] *Ibídem*, pág. 385.

la— o el que penetrado por la nostalgia rinde homenaje a su mitad perdida?

Pienso que en esta ambigüedad final se proyecta el drama interno nunca resuelto por el autor.

En «La migala» —como apunta Lagmanovich— la técnica del relato es el enigma[16]. La falta de información se equilibra con la presencia de indicios suficientes para saber que el origen es una frustración amorosa: el desprecio de Beatriz. Para conjurar el infierno anímico, por así decirlo, el personaje decide someterse al infierno físico del terror: «Dentro de aquella caja iba el infierno personal que instalaría en mi casa para destruir, para anular el otro, el descomunal infierno de los hombres.» A medida que avanza la narración la araña monstruosa pierde consistencia física; el protagonista habla de su «presencia invisible», de sus «pasos imperceptibles», y, paralelamente, ella «parece husmear, agitada, un invisible compañero». Cuando el narrador duda de la existencia del monstruo, esta anterior amenaza se ha metamorfoseado en otra mayor si cabe: la soledad atormentada del protagonista. Arreola piensa que toda alma está construida para la soledad, y —como el personaje del cuento— recarga su amargura en la mujer. Al comprar la araña el personaje había sustituido a Beatriz, por un insecto deforme, imagen de su desprecio.

El grupo más numeroso está integrado por aquellos relatos que tienen por tema el adulterio, «Pueblerina», «El faro», «La vida privada», y otros similares: «Corrido» y «Parábola del trueque.»

Sin que aparentemente se le aproxime, «Pueblerina» se inspira en la técnica adoptada por Kafka en *La metamorfosis*. La ambientación provinciana lo agrupa con «Corrido» y «El cuervero», y la utilización del animal como versión

----

[16] «La palabra del título es enigmática; lo son también el significado de la alimaña, la función de Beatriz y su real naturaleza, la historia previa que ofrece el marco de la narración presente y, en última instancia, los hechos mismos del cuento, pues no sabemos si realmente acontecen...» («Estructura y efecto en *La migala* de Juan José Arreola», *Cuadernos Hispanoamericanos,* Madrid, feb.-mar., 1977, núms. 320-321, pág.. 427).

caricaturesca del hombre recuerda a «El rinoceronte.» El efecto cómico resulta de la confusión entre la cosa y el concepto; así de la frase popular «ser cornudo», aplicada a la víctima de adulterio, se pasa al hecho real de convertirse en un hombre-toro. Por lo tanto se ha suplantado el plano real por el plano metafórico, lo lingüístico se confunde con lo extralingüístico. La narración discurre en una sostenida ambivalencia, pues el protagonista, sin interrumpir su vida cotidiana de hombre se comporta como un toro, y el léxico taurino se apodera del relato. Lo que parecía un vergonzoso secreto escrupulosamente guardado por el protagonista resulta al final una evidencia públicamente reconocida: «Todo el pueblo acompañó a don Fulgencio en el arrastre, conmovido por el recuerdo de su bravura, y a pesar del apogeo luctuoso de las ofrendas, las exequias y las tocas de la viuda, el entierro tuvo un no sé qué de jocunda y risueña mascarada».

La anécdota, sencilla y divertida, no disipa el amargor que destila la prosa de «Pueblerina». El lector no puede evitar reconocer el patetismo de este personaje marcado con el estigma más repudiado por la sociedad provinciana, un repudio que solapa tras el más espeso silencio, sin duda menos soportable que la provocación verbal. Los cuernos de don Fulgencio, su humillación y cegada valentía son la réplica de una sociedad cobarde, envilecida y abandonada a los instintos primarios:

> Pero la vida tranquila del pueblo tomó a su alrededor un ritmo agobiante de fiesta brava, llena de broncas y herraderos. Y don Fulgencio embestía a diestro y siniestro, contra todos por quítame allá esas pajas. A decir verdad, nadie le echaba sus cuernos en cara, nadie se los veía siquiera. Pero todos aprovechaban la menor distracción para ponerle un buen par de banderillas... (C, pág. 91).

El tema del adulterio es una de las obsesiones de Arreola, especialmente referido a la mujer. En «El faro», la esposa y el amante actúan con el consentimiento tácito del marido, situación que los conduce a la rutina y el hastío propios del matrimonio. La venganza del esposo se cumple al condenarla a aquello mismo de lo que había huido:

> Al principio hacíamos las cosas con temor, creyendo correr un gran riesgo. La impresión de que Genaro iba a descubrirnos en cualquier momento, teñía nuestro amor de miedo y de vergüenza. La cosa era clara y limpia en este sentido... Ahora estamos envueltos en algo turbio, denso y pesado. Nos amamos con desgana, hastiados, como esposos. Hemos adquirido poco a poco la costumbre insípida de tolerar a Genaro. Su presencia es insoportable porque no nos estorba; más bien facilita la rutina y provoca el cansancio. (*C,* pág. 110-111).

«La vida privada» transcurre en un pueblo similar, tal vez el mismo que «Pueblerina». Nuevo triángulo amoroso, con la diferencia de que es el esposo y no el amante quien narra. La benevolencia del primero no implica venganza, sino comprensión. En esta ocasión, el pueblo propicia el adulterio invitando a Teresa y a Gilberto a representar *La vuelta del cruzado,* del mexicano Fernando Calderón, comedia que reproduce el drama real de los protagonistas. Si en «Pueblerina» la reacción popular se desborda al final, aquí interviene desde el primer momento, y cuando están seguros de haber logrado su propósito, adoptan una actitud agresiva y de rechazo o marginación con los dos amigos y la mujer. En «El faro» todo transcurre en un lugar apartado, sin intromisiones ajenas al triángulo. En «La vida privada» la intervención de *tres señoras respetables* y la maledicencia de los demás complican la situación hasta extremos insospechados.

Al recurso antiquísimo del espejo, Arreola le da un giro interesante. En efecto, la comedia representada tiene un final, pero en la vida real, el personaje de Teresa tiene que improvisar el desenlace de su propia historia sin poder evitarlo, ya que su *vida privada* se ha convertido también en un espectáculo:

> Todo se ha acabado tal vez entre nosotros, sí, Teresa, pero el telón no acaba de caer y es preciso llevar las cosas ade-

lante a cualquier precio. Sé que la vida te ha puesto en una penosa circunstancia. Te sientes tal vez como una actriz abandonada al público en un escenario sin puertas. Ya no hay versos que decir y no puedes escuchar a ningún apuntador. Sin embargo, la sociedad espera, se impacienta y se dedica a inventar historias que van en contra de tu virtud. He aquí, Teresa, una buena ocasión para que te pongas a improvisar. (*VI,* pág. 237)

La historia de «Corrido» es sencilla. Un caso típico de rivalidad entre dos jóvenes que se disputan una misma mujer y mueren ambos en la pelea. El verdadero mérito está en la manera de contarla, en la atmósfera y el marco provinciano de la plaza de Ameca en Zapotlán. Está en la voz autorizada y lacónica del testigo popular que narra. En la pasividad fatalista, a la vez inocente y culpable, que adoptan los vecinos para que ocurra lo que tiene que ocurrir. Confluencia de elementos épico-líricos en correspondencia con el título. El refrán «Tanto va el cántaro a la fuente...» subyace en esta leyenda de «la mancornadora» y los dos viejos rivales: «De la muchacha no quedó más que la mancha de agua, y allí están los dos peleando por los destrozos del cántaro.»

Bertie Acker encuentra en la recitación dramática estilizada «todas las cualidades poéticas de una batalla medieval entre caballeros en el campo del honor en un duelo a muerte. El destino entra en el encuentro... El narrador, como el juglar de la Edad Media, a veces interrumpe ligeramente la historia con un comentario marginal para su audiencia»[17]. Historias similares recorren *El Informe de Brodie.* Recordemos «La intrusa», donde los rivales matan a la culpable para no matarse entre ellos, o el rencor antiguo de Silveira y Cardoso en «El otro duelo.»

La influencia de la enseñanza moralizante de raíz cristiana impregna «Parábola del trueque.» Las mujeres traficadas como mercancías pudieran haber sido sustituidas por cualquier objeto, pero el efecto sería menos corrosivo. El

---

[17] Bertie Acker, *El cuento mexicano contemporáneo: Rulfo, Arreola y Fuentes,* Madrid, Playor, 1984, pág. 92.

hombre que se deja deslumbrar por la apariencia olvidando que «más vale malo conocido...» se puede encontrar con una desagradable sorpresa. Esta conclusión lleva aparejada en el cuento la defensa del matrimonio legítimo y la monogamia. Si la aceptamos, se soslaya una contrapartida esencial: el único hombre que decide conservar a la mujer que tenía recibe de ella el más ingrato reproche. Sin reconocer en la fidelidad del esposo otra actitud que la cobardía, la vanidad le llena el rostro de reflejos «como si del sueño le salieran leves, dorados pensamientos de orgullo». Seymour Menton cifra el verdadero sentido del texto en la acertada decisión del marido: «El tema de la parábola se relaciona con el de *El pájaro azul* de Maeterlinck; la felicidad puede encontrarse muy cerca del hogar, si se busca debidamente y con ahínco» [18]. Por mi parte aventuro una conclusión más pesimista: la infidelidad del hombre y la vanidad en la mujer impiden toda comunicación duradera, el hombre sólo puede vivir «verdaderamente» en soledad, parece decirnos el autor.

«Hizo el bien mientras vivió» es el primer cuento importante de Arreola, publicado en 1943, en la revista *Eos* de Guadalajara. Esta prioridad y el tono intimista justifican la gratitud que le guarda el autor. En cuanto pieza de juventud aúna errores y aciertos. El mismo confiesa que está lleno de cursilería provinciana y reconoce la influencia directa del *Diario de un aspirante a Santo* de George Duhamel, especialmente en la perspectiva oblicua, al enfocar los buenos sentimientos y los hechos elementales de la vida pueblerina. Lo decisivo, a mi juicio, no es la anécdota, de ribetes melodramáticos, a veces; tampoco la modificación del personaje, desde su engaño inicial como prometido de una viuda adinerada, hasta la elección de una vida auténtica junto a una muchacha pobre y deshauciada. Cuánto más interés ofrece el poder de persuasión de la voz narrativa. Es como si Arreola trasladara al relato sus dotes dramáticas e interpretara sus propios personajes. Esa pluralidad de voces alcanza gran maestría en *La Feria* y en «Carta a

---

[18] *Juan José Arreola*, La Habana, Editorial Nacional de Cuba, 1963.

un zapatero...» En el relato que nos ocupa asume con convicción autobiográfica el de un hombre de bien que un buen día decide hacer frente a la misma sociedad provinciana e hipócrita que lo adulaba. Valga, al menos simbólicamente, esta ruptura como inicio de una posición de crítica social que en cuentos posteriores había de sobrepasar con creces el marco provinciano.

En la línea del anterior, también el protagonista de «El fraude» sufre una modificación para salvar su integridad moral. No pasa inadvertida, al autor, esta constante en determinados cuentos: «Tarde o temprano algunos de mis personajes encuentran su camino de Damasco, practican a veces sin saberlo el saulismo»[19].

La dignidad con que soporta el voluntario suplicio de comprar todas las estufas descompuestas, cuando la empresa entra en bancarrota, encadena al fiel empleado al nombre de la firma «Prometeo». En recompensa, una estufa le trajo el simbólico fuego del amor a través de una viuda y su hijito.

En los dos últimos relatos analizados el amor cumple una función redentora poco frecuente en la prosa de Arreola. Aún así, no deja de ser revelador que en «El fraude» se considere decisiva la intervención del azar y de un «destino imperioso».

El arte y la enseñanza

A lo largo de su vida literaria el escritor mexicano ha mantenido constantes dos grandes preocupaciones: la creación y la enseñanza. La obsesión por la primera se ha convertido en un lastre que le frena la pluma:

> Yo podría dejar de ser escritor no por falta de posibilidades... sino por una especie de desilusión radical cuya imagen se encuentra aquí... En mi obra escrita hay una especie de desencanto previo a la realización. Existe una gran distancia entre lo que uno siente como posibilidad y lo que

---

[19] E. Carballo, *Diecinueve protagonistas...*, *op. cit.*, pág. 400.

uno obtiene como resultado: así sea la realización más grande de Goethe, Shakespeare o Cervantes[20].

Sin duda la enseñanza le ha deparado más satisfacciones. De ambas facetas ha dejado testimonio en algunos cuentos: «Parturient montes», «El discípulo», «Monólogo del insumiso» y «De balística.»

No es fortuito, por cierto, que «Parturient montes» presida la serie de *Confabulario*. En el epígrafe, «... *nascetur ridiculus mus*», perteneciente al *Arte Poética* de Horacio y su tesis sobre la creación: grande en el intento y pobre en el resultado, resume Arreola el drama del escritor, que es su propio drama: «... Está de parto el monte, y nacerá un ridículo ratón». Toda la terrible oquedad del acto solitario de la escritura está contemplada en el relato en un nivel alegórico y paródico potenciado por la ironía. Los lectores son «un grupo de resentidos», el escritor, un «charlatán comprometido» y, aún más, un prestidigitador: «Recorro mis bolsillos uno por uno y los dejo volteados, a la vista del público. Me quito el sombrero y lo arrojo inmediatamente, desechando la idea de sacar un conejo...» (*C*, página 66). Hostigado por la presencia del público, extenuado por el esfuerzo desmesurado extrae la criatura de una axila, raíz de la mano que dirige la pluma, y aquella, en el mismo instante epifánico deja de pertenecerle. A propósito de esta soledad del escritor ha escrito Blanchot: «Al final la obra lo ignora y vuelve a cerrarse sobre su ausencia en la afirmación impersonal, anónima, de que es, y nada más»[21]. El último segmento del relato traza no tanto la imposibilidad de la escritura como la imposibilidad, la incomprensión de toda lectura, la otra cara del destino de escritor.

Abundando en la misma temática, y tomando como referencia el código de la pintura, recrea en «El discípulo» una modalidad del «exemplum». La anécdota, precisa y brevísima, apenas resulta un pretexto para liberar, de forma

---

[20] *Ibídem*, pág. 382.
[21] Maurice Blanchot, *El espacio literario*, Buenos Aires, Editorial Paidos, 1969, pág. 17.

pedagógica, algunas ideas estéticas. Que no hay verdadero arte si el artista no toma distancia a través de la ironía o el humor, es una; otra sería, que no hay que sublimar el arte porque lo supera la vida: «No seré un gran pintor... Pero sigo creyendo en la belleza... La belleza está en torno de mí, y llueve oro y azul sobre Florencia.» Este divorcio inicial entre la captación de la belleza y su plasmación en la obra de arte representa el drama del escritor. Un drama que afecta al escritor mexicano hasta la esterilidad, probablemente exacerbado por su propio escepticismo.

En la dedicatoria de «Monólogo del insumiso» consta: «Homenaje a M. A.» Este, junto con otros indicios, apunta hacia la figura de Manuel Acuña: el desprecio de la amada, Rosario, la certidumbre del materialismo positivista, el escepticismo y el mal del siglo que estimulan el trágico final. Amante de la gloria, vislumbra una nueva época pero carece de la genialidad necesaria para romper con los moldes gastados de la suya: «Pertenezco al género de los hijos pródigos que malgastan el dinero de los antepasados, pero que no pueden hacer fortuna con sus propias manos» (*C,* página 97)

No en los actos e ideas que ilustran su biografía, ni siquiera en las penosas circunstancias que lo arrastraron a un prematuro suicidio está la médula del relato, sino en haber vertido ese drama en el lenguaje de la época y en haber ajustado el gesto teatral del poeta finisecular al monólogo dramático:

> Cuando menos, me gustaría que no sólo en mi cuarto, sino a través de toda la literatura mexicana, se extendiera un poco este olor de almendras amargas que exhala el licor que a la salud de ustedes, señoras y señores, me dispongo a beber. (*C,* pág. 98)

Es verdad que en el plano más superficial, «De balística» se burla de ciertos investigadores norteamericanos caricaturizados —como apunta Menton— en los cuentos «Asalto al tren», del mexicano Rafael F. Muñoz, y «Así se habla español» del ecuatoriano Alfonso García Muñoz. En un nivel más profundo nos propone una manera más directa y viva de aproximación al objeto investigado. «De balística» pertenece a esa preocupación desmedida del escritor mexicano por todo cuanto se refiere a la juventud, la enseñanza y la relación dialéctica maestro-discípulo. La afinidad entre los consejos que el conspicuo maestro de balística regala al joven investigador y los que el propio Arreola ha recomendado a los profesores de literatura prueba la afirmación anterior:

> El maestro debe proponerse que el joven se acerque a ellas (las obras) con respeto y sin desdén... debe comunicar su personal deleite de lector, ilustrar el estudio con metáforas, hacer del curso mismo una obra literaria llena de animación y movimiento, de emoción y fantasía. (*LPE*, página 127)

Así, Arreola reanuda con nuevo vigor la corriente didáctica que recorre la cultura mexicana, desde las misiones jesuíticas y el legado humboldtiano, pasando por el fervor educacional de Lizardi, hasta nuestros días. Cuando se analiza la obra de Arreola se suele soslayar su deuda con la tradición cultural y literaria de México, cuando sus ideas nucleares, salvando la distancia temporal, están en ella. Aquel ideal de progreso, de reformismo social, la preocupación por una ética basada en la libre determinación del hombre, presentes en el humanismo jesuítico del siglo XVIII cobran significación en los cuentos del mexicano. Ellos, los jesuitas mexicanos, crearon los fundamentos de una pedagogía humanista en México. Más cerca, José Joaquín Fernández de Lizardi reabsorbe aquella experiencia y la agranda. ¿Acaso no fue «El Pensador mexicano» un educador, en sentido lato, iluminado por una vocación de reformismo social?

En Arreola, cualquier anécdota trivial sirve de excipiente al propósito humanístico. En «Carta a un zapatero...», por ejemplo, propugna —como el tután de la isla Saucheofú— [22] la valoración del trabajo artesanal y manual tan de-

---

[22] José Joaquín Fernández de Lizardi, *Periquillo Sarniento*, t. II, Madrid, Editora Nacional, 1976, cap. XIV, pág. 742.

gradados en la sociedad industrializada. A su juicio, el error radica en que todos queremos ser *homo sapiens,* mientras que el hombre se realiza como *homo faber* al trabajar con sus manos, y así obedece a su propia naturaleza:

> El antiguo desprecio a los que viven de sus manos, enca-
> bezado por nobles y militares, clérigos, letrados y aventu-
> reros de toda laya, adquiere nueva forma en nuestros días
> a partir del auge de las universidades modernas. (*LPE,* pá-
> gina 21)

La religión y la moral

Desde su condición de artista justifica Arreola la existencia de Dios. El afán de creación sería la nostalgia —nunca satisfecha— que queda en el hombre por el hecho de haber sido creado. Por la misma razón, no existe un Dios anterior a la creación, sino una posibilidad del ser que sólo
se manifiesta en el ser. Al planteamiento religioso se asocia la reflexión ética. Arreola admite una raíz moral en su
obra, fruto de grandes crisis durante las cuales recurría para
aliviarse al *Dante vivo* de Papini. Esta nueva faceta completa el «puzzle» de una obra y un pensamiento de insa-
ciables matices. Resulta difícil reconocer en el autor de «Pablo», «El silencio de Dios», «Un pacto con el diablo» y «El
converso» al Arreola de «Parturient montes», «El guardagujas» o «Anuncio», por citar algunos ejemplos.

«Pablo» es una curiosa adaptación del Pablo bíblico a un
Pablo moderno, modesto contable de oficina, que experimenta una inesperada transfiguración al convertirse en de-
positario del mensaje divino. El nuevo estado se resuelve
en una nueva manera de mirar, mirada que vislumbra la
futura restitución del ser disperso en su unidad primige-
nia. El parentesco con «Funes el memorioso» es evidente.
El personaje de Borges pierde el conocimiento a causa de
una caída, cuando lo recobra «el presente era casi intolerable de tan rico y tan nítido, y también las memorias más
antiguas y más triviales». En el relato de Arreola se dice
de Pablo:

> Se sintió capaz de todo. Podría recordar el detalle más insignificante de la vida de cada hombre, encerrar el universo en una frase, ver con sus propios ojos las cosas más distantes en el tiempo y en el espacio, abarcar en un puño las nubes, los árboles y las piedras. (*C,* pág. 149)

No van más allá las afinidades. A funes le falta la dimensión religiosa. Pablo, al contemplar el mundo lo devoraba, lo desintegraba, y para restituirlo de nuevo a la vida decide morir. Tanto este personaje como el ángel lastrado de «El silencio de Dios» personifican la impotencia del hombre occidental para resolver los grandes problemas de la existencia, del ser y estar en el mundo, especialmente la dificultad para «salir de sí» y «reunirse con el Gran Todo». Arreola descubre en este extremo la diferencia radical entre Oriente y Occidente: «En Occidente, el individuo invade el cosmos; en Oriente el individuo se incluye en el cosmos.»

En «Un pacto con el diablo» y «El converso», rozando con los anteriores, aborda uno de los grandes temas existencialistas: la conversión personal, la oscilación entre la desintegración existencial y la existencia recuperada, dicho en otros términos, entre la vida inauténtica y la vida auténtica. A esta opción se ve sometido el personaje de «El converso» cuando es rescatado del infierno por Dios. A elegir entre recomenzar su vida o ir de nuevo al infierno. La elección sería fácil de no mediar una serie de claudicaciones insoportables en el primer caso; la peor, con mucho, reconocer a fray Lorenzo como salvador para «castigar suficientemente mi vanidad». El final revela que eligió la claudicación salvadora. E. Mounier expresa en los siguientes términos la nueva encrucijada moral:

> Nos encontramos, pues, con un nuevo cogito existencial. El *elígete a ti mismo* sustituye al *conócete a ti mismo*... Hay en esta conversión una puerta estrecha, el arrepentimiento —el verdadero— que no sólo es lamento, sino también contrasentido[23].

---

[23] Emmanuel Mounier, *Introducción a los existencialismos,* Madrid, Guadarrama, 1967, pág. 102.

Así la tristeza estética —*le mal du siècle*— debe ser sustituida por la tristeza ética, de causa definida, sentimiento de humillación del pecador arrepentido. Sin embargo, no siempre se nos deja elegir nuestros propios actos. Es lo que le sucede al protagonista de «Una reputación», convertido en «caballero» mientras viaja en un autobús por haber cedido al impulso involuntario de dejar el asiento a una mujer: «Yo personificaba en aquellos momentos los ideales femeninos de caballerosidad y de protección a los débiles. La responsabilidad oprimía mi cuerpo como una coraza agobiante, y yo echaba de menos una buena tizona en el costado...» (*C*, pág. 181). Forzado por la imagen que los demás le han fabricado, se debate entre la necesidad de mantener la caballerosidad con las mujeres y el temor al ridículo y a la reprobación del pasaje masculino. Una concepción sobre la evolución psicológica de los personajes, contrapuesta a la idea tradicional de evolución lenta y progresiva, subyace en la anécdota: «Yo quiero, de golpe y porrazo, que sufran modificaciones sustanciales y definitivas» —ha dicho Arreola.

¿Cuál es en «Una reputación» la causa desestabilizadora? La mirada del otro y las experiencias de la inferioridad de que nos habla Sartre: la vergüenza, el pudor, la timidez y la culpa. De la misma manera que las miradas de los pasajeros sustraían la libertad de Clara por no llevar flores en «Omnibus» de Cortázar, la gratitud de las pasajeras coartan, en este caso, la libertad decisoria del personaje obligándolo a comportarse no como quien realmente es, sino con los atributos del ser que es para ellas.

CLAVES RETÓRICAS

La técnica del extrañamiento

La llave de oro que abre el *Confabulario* —el epígrafe de Pellicer: «... mudo espío mientras alguien voraz a mí me observa»— revela un propósito y una estética: la complicidad con el lector. La escritura de Arreola presenta esta doble condición: es fábula o narración corta, marca peculiar de su estilo, y apunta hacia una confabulación tácita con ese «alguien voraz» que —de no ser Dios— sólo puede ser el lector. La proximidad semántica entre «espiar» y «observar» reclama un lector cómplice capaz de completar la obra en la lectura; a él y sólo a él está dirigida. Los hechos acreditan esta selección: más allá de las fronteras de su país Arreola es reconocido por un público minoritario.

Juan José Arreola es un escritor difícil de clasificar. La diversidad hiperbólica de su prosa obstaculiza cualquier tentativa exclusivista; aun así, algunos de sus mejores cuentos pertenece al género fantástico: «Parturient montes», «en verdad os digo», «La migala», «El guardagujas», «Pueblerina», «El Prodigioso miligramo», «Una mujer amaestrada» y «Parábola del trueque.» Otros se desvían hacia la ciencia ficción, como «Pablo» o hacia lo maravilloso: «Un pacto con el diablo», «El converso» y «El silencio de Dios.» Los restantes escapan a esta tipología, pero unos y otros confirman la técnica de composición característica del autor. Es justamente lo que me propongo en este apartado: desmontar el sistema de los textos anteriormente comentados, para descubrir su funcionamiento interno, la particularidad o diferencia de la escritura arreoliana.

Aun los cuentos considerados fantásticos difieren visiblemente de los escritos por Borges, Cortázar o Fuentes. Sin dejar de pertenecer a dicho género lo transforman e instauran un nuevo código. Con razón afirma Todorov:

> Une oeuvre qui serait le pur produit d'une combinatoire *préexistante* n'existe pas pour l'historie de la littérature.... Aussi l'oeuvre d'art (ou de science) comporte-t-elle toujours un élement transformateur, une innovation du système. L'absence de différence égale l'inexistence[24].

---

[24] «Una obra que fuera simple resultado de una combinatoria *preexistente* no existe; o más exactamente, no existe para la historia de la literatura... la obra de arte comporta siempre un elemento transformador, una innovación del sistema. La ausencia de diferencia equivale a la inexistencia» (*Poétique de la prose,* París, Seuil, 1971, pág. 193).

Lo decisivo en las prosas de *Confabulario* no son los temas, sino la perspectiva. Hemos constatado que aquellos son pocos y recurrentes; con frecuencia, la anécdota es convencional, apenas un leve apoyo o ejercicio que sería retomado en múltiples variaciones. ¿No ocurría igual en *Muerte sin fin* de José Gorostiza? Y, sin embargo, el autor consigue romper continuamente el automatismo de la lectura. Hay escritores cuyos textos son fácilmente reconocibles; con ellos, el lector disfruta en la familiaridad de lo esperado, descifrando un lenguaje y un sentido que casi adivinaba por anticipado. Otros, en cambio, lo sustraen de la costumbre y lo hacen removerse en el confortable sillón aterciopelado como respuesta nerviosa a lo inesperado del asalto. Arreola pertenece a estos últimos. De ahí que encuentre en el «extrañamiento», en una cierta manera de ver, el secreto último de su escritura. Él mismo ha afirmado: «Lo que yo quiero hacer es lo que hace un cierto tipo de artistas: fijar mi percepción, mi más humilde y profunda percepción del mundo externo, de los demás y de mí mismo.»

Hugo Friedrich reconoce esta misma peculiaridad en el estilo de Flaubert: «Las leyes de un estilo así concebido no derivan de los objetos y de los asuntos, ni del lenguaje artístico tradicional, sino del autor mismo»[25]. El concepto de manierismo completa esta cualidad a la que me estoy refiriendo. No el manierismo referido exclusivamente al virtuosismo formal de su prosa —como pretenden algunos críticos— sino a la manera de enfocar los temas, aquella propia de los pintores manieristas que Arnold Hauser resumía en la expresión «como yo lo veo».

Si comparamos a Arreola con otro gran maestro del relato breve, Cortázar, advertimos que donde éste buscaba la «excentricidad», la «descolocación», Arreola persigue el *extrañamiento*. Ambos coinciden en escribir «desde un intersticio», expresión que en la prosa del mexicano adquiere importantes connotaciones. Al restar importancia al

[25] Hugo Friedrich, *Estructura de la lírica moderna,* Barcelona, Seix Barral, 1974, pág. 197.

asunto, cede el paso a la forma en cuanto plasmación del espíritu y cristalización de la obra de arte:

> El espíritu continuamente está irradiando como un objeto radiactivo. En el momento en que la irradiación toma forma, se produce lo artístico... El problema del arte consiste en untar el espíritu en la materia. Es decir, en tratar de detener el espíritu en cualquier forma material...[26]

De la dialéctica entre la percepción (subjetividad) y la forma (objetivación), entre el espíritu y la materia resulta una obra redonda, autónoma, de la que el autor ha tomado distancia. El tópico de que una vez concluida la obra deja de pertenecer al autor se convierte en Arreola en una manera de contar; de muy pocos de sus personajes podría decirse que son una proyección suya, y muchos de ellos ni siquiera pertenecen a una dimensión espacio-temporal concreta. Es, análogamente, lo que, a juicio de Borges, constituía la marca de Kafka:

> La diferencia esencial con sus contemporáneos y hasta con los grandes escritores de otras épocas, Bernard Shaw o Chesterton, por ejemplo, es que con ellos uno está obligado a tomar la referencia ambiental, la connotación con el tiempo y el lugar... Kafka en cambio tiene textos, sobre todo en los cuentos, donde se establece algo eterno. A Kafka podemos leerlo y pensar que sus fábulas son tan antiguas como la historia, que esos sueños fueron soñados por hombres de otras épocas sin necesidad de vincularlos a Alemania o a Arabia. El hecho de haber escrito un texto que trasciende el momento en que se escribió, es notable, se puede pensar que se redactó en Persia o en China y ahí está su valor[27].

Arreola se ha comparado con Kafka porque considera que ambos son escritores imposibles, que no pueden repetirse. Dicho así pudiera parecer pedante, mas es cierto que

---

[26] E. Carballo, *Diecinueve protagonistas...*, *op. cit.*, pág. 367.

[27] Jorge Luis Borges, «Un sueño eterno», *El País*, Madrid, 3 de julio de 1983, en «Centenario del nacimiento de Franz Kafka.

una extraña singularidad estilística los aúna. Si tuviéramos que traducir el extrañamiento arreoliano en un tema literario, éste sería la soledad. La distancia que adopta en el texto, la impenetrable autonomía de algunos de sus personajes, ¿no es fruto de su propio aislamiento? Recordemos la precisa adivinanza borgiana de «El jardín de senderos que se bifurcan»: «En una adivinanza cuyo tema es el ajedrez, ¿cuál es la única palabra prohibida? Reflexioné un momento y repuse: —La palabra ajedrez... Omitir *siempre* una palabra, recurrir a metáforas ineptas y a perífrasis evidentes, es quizá el modo más enfático de indicarla». Pienso, por ejemplo, en «La migala» —uno de los cuentos más significativos de Arreola— y en «Autrui», y en «Parturient montes», donde el aislamiento y la soledad están presentes sin que se aluda a ellos de forma directa.

Heredero de Kafka —el gran renovador de la literatura fantástica antropocentrista—, Arreola trabaja sus obras desde la alegoría y el símbolo, instrumentos que permiten «hacer sensible el misterio que une la vida aparente con la vida profunda, lo anecdótico con lo esencial» —que diría Albéres. Mas el verdadero ascendiente germinal de sus escritos se remonta a la Edad Media. En una breve reseña de *Varia Invención,* Robert Escarpit adivinaba el parentesco: «Todo el arte de Arreola está hecho de búsqueda minuciosa, de inquieta erudición. Existe en él una vocación de artista de la Baja Edad Media, con todo lo que esto supone de danza macabra, de enciclopedismo y de artesanía verbal»[28]. Y Javier Martínez Palacio asocia la técnica de estos cuentos con las «alegorías, fábulas, apólogos y bestiarios medievales tan amigos de poner defectos humanos en los animales». En cambio, estos autores ignoran otra fidelidad no menos decisiva al espíritu medieval. En la Edad Media, el concepto de humanidad (general y abstracto) era más importante que el de los hombres (individual), y gustaba de crear imágenes alegóricas del destino. En los mejores cuentos del mexicano, con frecuencia, las acciones atañen no a

---

[28] Robert Escarpit, *Contracorrientes mexicanas,* México, Antigua Librería Robredo, 1957, pág. 113.

uno u otro personaje, sino a todo un sistema social y, más aún, al hombre en general. Me refiero a «En verdad os digo», «El guardagujas», «El prodigioso miligramo» y otros menos artísticos, como «Baby H. P.» y «Anuncio.» Otros rasgos identifican la corriente medieval que habita su prosa: la brevedad como ideal estilístico; el origen moral de las historietas y fábulas con que los escritores cristianos apoyaban sus explicaciones doctrinales; e incluso la fórmula editorial empleada para la divulgación de aquellas una vez que adquirieron entidad independiente: fabularios, apólogos, crónicas, leyendas, historias de animales y ejemplos, gérmenes de donde nacerán el cuento y la novela. A veces, Arreola recrea estas formas arcaizantes respetando el título que les dio fama; así ocurre con «El lai de Aristóteles» perteneciente a *Prosodia.* Cabe pensar que la lectura de los *fabliaux* potenció en Arreola un excelente sentido y ponderada delicadeza para el tratamiento de lo cómico y lo burlesco fácilmente identificables en «El rinoceronte», «Eva», «Pueblerina», «El faro», «In memoriam» o «Una reputación».

Lo anterior no invalida la contemporaneidad del escritor mexicano. Su alegoría —a semejanza de la alegoría kafkiana— nada tiene que ver con la medieval. Umberto Eco explica así este nuevo modo de entender la alegoría:

... a diferencia de las construcciones alegóricas medievales, aquí los sobreentendidos no se dan de modo unívoco, no están garantizados por ninguna enciclopedia, no reposan sobre ningún orden del mundo. Las muchas interpretaciones existencialistas, teológicas, clínicas, psicoanalíticas de los símbolos kafkianos no agotan las posibilidades de la obra: en efecto, la obra permanece inagotable y abierta en cuanto «ambigua», puesto que se ha sustituido un mundo ordenado de acuerdo con leyes universalmente reconocidas, por un mundo fundado en la ambigüedad, tanto en el sentido negativo de una falta de centros de orientación como en el sentido positivo de una continua revisión de los valores y las certezas[29].

---

[29] Umberto Eco, *Obra abierta,* Barcelona, Ariel, 1979, pág. 80.

Borges, en su magistral ensayo sobre Hawthorne (*Otras Inquisiciones*), parafraseando a Chesterton, incita a formular este sentido lato de la alegoría: «puede haber diversos lenguajes que de algún modo correspondan a la inasible realidad; entre esos muchos, el de las alegorías y fábulas». A la luz de estas valoraciones, aquella definición de Quintiliano, «la alegoría es una metáfora continuada», sin ser errónea es una dudosa simplificación.

Antes de pasar al análisis de la técnica del relato fantástico en Arreola propongo la siguiente clasificación tomando como base el procedimiento narrativo predominante:

alegoría	alegoría + bestiario	parábola
«Parturient montes» «En verdad os digo» «El guardagujas»	«El prodigioso miligramo» «Una mujer amaestrada» «La migala» «El rinoceronte» «Pueblerina»	«Parábola del trueque»

«Parturient montes», «En verdad os digo» y «Pueblerina» están construidos mediante la técnica de la alusión, que descubriera Marthe Robert en la obra de Kafka (*Kafka,* París, Gallimard, 1960). Es también el modo de construcción genuino del relato kafkiano razonado por Barthes en los *Ensayos críticos*. Consiste en suprimir los *como si* de una relación metafórica haciendo del término metafórico el objeto pleno del relato. Veamos algunos ejemplos. En «Parturient montes» el simbólico ratón de *Ad Pisones* para significar el resultado de la creación se convierte en un ratón de verdad. Y es que Arreola se acoge a la acepción de escritor en cuanto hacedor o productor, tal como aparece en *El Banquete* de Platón. «En verdad os digo» reproduce la misma técnica. Lo fantástico resulta al extraer una sentencia de Jesucristo de su contexto, violentarla e introducirla en el contexto de una sociedad tecnocrática como la nuestra:

Arpard Niklaus deriva sus investigaciones actuales a un fin caritativo y radicalmente humanitario: la salvación del alma de los ricos. Propone un plan científico para desintegrar un camello y hacerlo que pase en chorro de electrones por el ojo de una aguja. Un aparato receptor (muy semejante en principio a la pantalla de televisión) organizaría los electrones en átomos, los átomos en moléculas y las moléculas en células, reconstruyendo inmediatamente el camello según su esquema primitivo. (*C*, pág. 68)

El doble proceso, violencia de la letra y del espíritu, quedaría representado así:

1. Imposibilidad de lo natural (que un camello real pase por el ojo de una aguja —puerta estrecha).
1'. Posibilidad de lo sobrenatural (en virtud del progreso científico un camello desintegrado puede pasar por una aguja de coser)
2. Utilización metafórica para aludir a valores morales, en el primer caso.
2' Se suplanta la connotación ética de la metáfora por la antítesis, vale decir, por un fin lucrativo.

En «Pueblerina», de «ser cornudo», según la expresión popular, el protagonista pasaba a tener cuernos de toro y a reaccionar con la bravura característica del animal.

En estos relatos, y en muchos otros, Arreola adopta el estilo jocoserio ejercitado por Horacio en sus sátiras con arreglo al tópico *ridendo dicere verum,* y la mixtura genérica que se desarrolló en la tardía Antigüedad. Tres relatos, tres blancos distintos para el disparo crítico de Arreola: la creación, el progreso científico y las costumbres provincianas.

En «El guardagujas» y «El prodigioso miligramo», tanto la red ferroviaria como la vida del hormiguero ostentan la complejidad propia de una gran organización social, y en ese exceso el autor nos disfraza el verdadero propósito. No es frecuente que una importante compañía de trenes expenda billetes de líneas que aún no existen, que carezca de rieles o apenas estén indicados en el suelo, menos aún, que los pasajeros se vean obligados a desmontar el tren y cargarlo sobre los hombros a falta de un puente. Tanto o más extraño resulta un hormiguero lleno de hormigas perezosas, incumplidoras, coleccionistas de objetos superfluos e inmundicias, amotinadas e imprevisoras. ¿Qué ha ocurrido? Para manifestar su queja contra el tiempo presente Arreola ha recurrido al tópico del «mundo al revés», cuyos orígenes se remontan a la Antigüedad clásica, a los *adyvata* de Virgilio, Ovidio y los satíricos romanos, y que en el siglo XII volvió a cultivarse a través de la «enumeración de imposibles» *(aduvata, impossibilia).*

Las narraciones marcadas por la presencia de animales o animalizaciones humanas difieren entre sí. «Una mujer amaestrada» es de los mejores por la imprecisión y ambigüedad de las posibles interpretaciones. En «Pueblerina» —ya referido— se da tratamiento humorístico al tema fantástico de la metamorfosis:

> ...don Fulgencio tuvo que hacer un gran esfuerzo y empitonó la almohada. Abrió los ojos. Lo que hasta entonces fue una blanda sospecha, se volvió certeza puntiaguda. *(C,* pág. 90)

El efecto humorístico resultante de la utilización del léxico taurino será nuevamente explotado años más tarde en el divertido episodio de Concha de Fierro y el torero Pedro Corrales, en *La Feria.*

«La migala» se aproxima al relato de terror tradicional por la angustia que genera la araña monstruosa. En «Parábola del trueque» la alegoría, más evidente que en otros cuentos, es desmentida por la reacción de la esposa al demostrar que no hay ninguna verdad definitiva: conformarse con la mujer propia sin desear la ajena puede convertirse en algo tan nocivo como lo contrario.

«Un pacto con el diablo», «El converso» y «El silencio de Dios» sobrepasan los límites de lo fantástico y colindan con lo maravilloso, sólo en el primer caso existe una cierta contraposición entre lo real y lo irreal. Este relato invierte el tópico del «theatrum mundi», pues es la realidad la que imita la representación escénica, o más propiamente, la proyección fílmica.

En «Pablo» lo maravilloso convive con la ciencia-ficción bajo una mirada poco optimista sobre el futuro de la humanidad: «La humanidad continúa engañosamente sus ensayos después de haber escondido bajo la tierra otra fórmula fallida» (*C,* pág. 152).

La brevedad, el realismo y la intención jocosa del *fabliau* medieval reproduce en «El faro» el tópico del marido engañado que Arreola renueva haciéndolo, paradójicamente, cómplice de los amantes, y el tópico de la esposa engañada y vengada en «El rinoceronte.» En otra recopilación de prosas breves, *Prosodia,* recoge el tradicional «lay de Aristóteles», una de las más populares creaciones medievales. Otra variante, la del marido que se da cuenta de que su mujer y su mejor amigo se han enamorado en su propia casa, alcanza un desarrollo más amplio en «La vida privada.» La anécdota experimenta sensibles modificaciones. Al no existir engaño —el marido conoce los sentimientos de ambos y se muestra tolerante con ellos— tampoco se produce el efecto cómico esperado. De modo que la técnica del relato imita la adivinanza. Se plantea el conflicto y uno de los personajes, Teresa, la esposa, tiene que encontrar una solución. El lector, a su vez, tendrá que imaginarla y proponer la suya propia, puesto que el relato no lo hace. El tema se entrecruza con la metáfora del «Theatrum mundi»: la obra que representan los enamorados en escena reproduce el drama real de sus vidas, excepto que en la realidad la heroína tendrá que improvisar su papel para resolver una situación insostenible. El teatro como «efecto de espejo» emblematiza el carácter espectacular que la vida privada llegó a adquirir en un ambiente provinciano enrarecido por chismes y habladurías.

Arreola, haciendo profesión de un manierismo inutilmente reprobado por sus detractores escribe también textos cuya mayor eficacia reside en la destreza lingüística del escritor. No son propiamente relatos sino prosas al estilo del «Manual de instrucciones» de Cortázar, como «Baby

53

H. P.» y «Anuncio». Sin renunciar al propósito burlesco se permite abusar del tecnicismo en «De balística». La emulación del lenguaje de los tratados y ensayos monográficos suscita el efecto irónico de «In memoriam.» A estas tentativas se suma la utilización ficticia de algunas modalidades de la literatura íntima o vecinas a ella: el diario en «Hizo el bien mientras vivió», la carta en «Los alimentos terrestres» y «Carta a un zapatero...», la biografía en «Sinesio de Rodas», «Nabónides» y «Baltasar Gérard» y, finalmente, la fórmula dramática del monólogo en «Monólogo del insumiso».

Los recursos del extrañamiento

Una característica inconfundible del estilo de Arreola es la manera de empezar los relatos. Me refiero al comienzo «in media res» que sorprende al lector y lo toma como por asalto. En mayor grado lo identifica el extrañamiento, efecto que se consigue mediante la creación de una atmósfera que invade a los personajes y, de paso, al lector. En unos relatos («El guardagujas» y «El prodigioso miligramo») es la ausencia de naturaleza, las organizaciones caóticas que dejan al individuo abandonado a su propia impotencia y generan estados de angustia que conducen a la pérdida de identidad. En ellos se reproduce, desde la irrealidad, una imagen invertida de la existencia del hombre en las sociedades modernas.

En otros cuentos, de situaciones más concretas, la atmósfera se instaura a partir de la metáfora medieval del «theatrum mundi» —frecuentemente aludida en este análisis— reactualizada en sus variantes más sórdidas y degradadas. Poco se ha ocupado la crítica de este aspecto tan fascinante y a la vez tan autobiográfico en el escritor mexicano. Tan sólo Seymour Menton alude a la influencia del París finisecular al referirse a la atmósfera circense de «Una mujer amaestrada».

El mundo del espectáculo callejero, la feria, el circo, es uno de los secretos de la prosa de Arreola de donde irradia esa onda de extrañamiento que invade al lector. No las grandes representaciones artísticas, prefiere los que Octavio Paz llama «espectáculos del lujo fúnebre» y a sus protagonistas: vendedores ambulantes, saltimbanquis, domadores, charlatanes, actores ocasionales, «imágenes de fasto y miseria». Paz descubrió esta raíz baudelairiana en la poesía de Velarde. Sospecho que Arreola es otro eslabón en cuyas páginas perdura la huella de Baudelaire no sin ser destiladas en la pureza provinciana de López Velarde. En «Parturient montes» el escritor es un charlatán que monta la obra en un espectáculo callejero. En «La migala», un circo callejero, un saltimbanqui estafador y un animal monstruoso generan la atmósfera de terror. Pero, nada comparable al enigmático elenco de «Una mujer amaestrada»: el espectáculo en la plaza, un saltimbanqui polvoriento que exhibe a una mujer amaestrada y un pequeño monstruo de edad indefinida. Qué decir del mercader de mujeres que al grito de ¡cambio esposas viejas por nuevas! recorre las calles del pueblo arrastrando carromatos multicolores llenos de mujeres «todas rubias y todas circasianas. Y más que rubias, doradas como candeleros».

Otro curioso paralelismo con Baudelaire son las interpolaciones relacionadas con las representaciones dramáticas, recuerdo, por ejemplo, «La Béatrice», «Le Cygne» o la alusión al espectáculo en «Le reve d'un curieux». La vida humana comparada con un teatro donde los hombres son los actores y la Fortuna director de escena se interpola en los relatos «La vida privada» y «El fraude». Ya traté el tema en el primer caso. Respecto al segundo, toda la descripción de las relaciones entre el empleado y la viuda que llega con su hijito está transcrita con arreglo a una representación escénica:

> Nuestra situación se hizo insoportable a fuerza de natural: éramos tres personajes convergentes y un destino imperioso se apoderó de nosotros, dispuesto a manejarnos hasta un final ineludible. Yo me sentía conducido, aconsejado, mientras labraba y remachaba eslabones; frases inocentes que nos ligaban como cadenas.
>
> En realidad, lo que yo estaba diciendo me lo sabía de memoria. Representaba mi propio personaje y no lo había he-

cho antes porque nadie me daba las réplicas exactas, aquellas que iban a disparar el mecanismo de mi alma. (*VI*, páginas 243-244)

En algunos relatos en primera persona parece que el escritor se transfiere en distintos papeles y situaciones: esposa divorciada, pintor renacentista frustrado, amante descubierto y castigado sutilmente por el esposo, marido virtuoso e incomprendido, pecador arrepentido, creyente desorientado, pasajero de autobús convertido inesperadamente en «caballero», profesor de ética, marido engañado y vendedor fiel y responsable. Tal diversidad de papeles imposibilita la identificación con alguno de los personajes en concreto.

Precisamente uno de los rasgos estilísticos que identifica la prosa de Arreola es la heterofonía o pluralidad de voces individuales. Otro la intratextualidad: textos en filigrana que participan de la creación aunque no aparezcan en la superficie plana de la obra, como los refranes: «zapatero a tus zapatos» en «Carta a un zapatero...», «tanto va el cántaro a la fuente» en «Corrido», y «más vale bueno conocido» en «Parábola del trueque.» Por último en relación con la estética finisecular quedarían las numerosas referencias y citas bíblicas y religiosas incorporadas intertextualmente al texto primero.

Los temas de *Confabulario* reflejan la preocupación existencial que se deja sentir en todos los órdenes de la vida contemporánea y, más concretamente, en el pensamiento filosófico y artístico. Muchas de las grandes novelas del siglo XX ponen el énfasis en los problemas del hombre y su destino. No radica ahí su originalidad. La estética de Arreola es una mixtura de estilos: la herencia clásica, el antropocentrismo fantástico, la herencia de «Contemporáneos» y el descubrimiento lingüístico y sociológico de la provincia mexicana. A esta conjunción hay que añadir la búsqueda de una extrañeza agresiva que instaura en lo feo y lo grotesco, en lo caricaturesco y lo cómico la definición de una nueva belleza.

Esta edición

La presente edición de *Confabulario* comprende los dos libros de relatos breves más importantes escritos por Arreola: *Varia Invención* (1949) y *Confabulario* (1952), ambos reeditados en 1955 y en 1962, junto con otros textos.

Teniendo en cuenta la edición de *Confabulario Total (1941-1962)*, México, Fondo de Cultura Económica, 1962, he seguido la edición definitiva de sus obras publicadas en México, Joaquín Mortiz, 1971. En el prólogo a dicha edición, titulado «De Memoria y olvido», el autor explica el criterio seguido en la ordenación de los volúmenes:

> Al emprender esta edición definitiva, Joaquín Díaz Canedo y yo nos hemos puesto de acuerdo para devolverle a cada uno de mis libros su más clara individualidad. Por azares diversos, *Varia Invención, Confabulario* y *Bestiario* se contaminaron entre sí, a partir de 1949. Ahora cada uno de esos libros devuelve a los otros lo que no es suyo y recobra simultáneamente lo propio.

Por deseo expreso del autor me encargué yo misma de elegir los textos que debían formar parte de esta edición.

Abreviaturas empleadas

C=Confabulario
VI=Varia Invención
B=Bestiario
LPE=La Palabra Educación

Bibliografía

Obras de Juan José Arreola

Varia Invención, México, Tezontle, 1949.
Confabulario, México, Fondo de Cultura Económica, 1952.
La hora de todos (Juguete cómico en un acto), México, Los Presentes, núm. 4, segunda serie, 1954.
Confabulario y *Varia Invención,* México, Fondo de Cultura Económica, 1955. A los dos libros originales se añaden los cuentos: «Parturient montes», «Una mujer amaestrada» y «Parábola del trueque.»
Punta de Plata, México, Universidad Nacional Autónoma de México, 1958. Contiene el *Bestiario* de Arreola y 24 dibujos de animales de Héctor Xavier.
Confabulario total (1941-1961), México, Fondo de Cultura Económica, 1962.
La Feria, México, Joaquín Mortiz, Serie de volador, 1963. Es su primera y única novela.
Confabulario, México, Fondo de Cultura Económica, 1966.
Confabulario, México, Joaquín Mortiz, 1971.
Palíndroma, México, Joaquín Mortiz, 1971.
Varia Invención, México, Joaquín Mortiz, 1971. Incluye *La hora de todos.*
Bestiario, México, Joaquín Mortiz, 1972. Contiene también: «Cantos de mal dolor», «Prosodia» y «Aproximaciones.»
La Feria, México, Joaquín Mortiz, 1971. Es la primera edición en *Obras de Juan José Arreola* y quinto volumen de la serie tras los cuatro citados: *Confabulario, Palíndroma, Varia Invención* y *Bestiario.*
La Palabra Educación, texto ordenado por Jorge Arturo Ojeda, México, Editorial Grijalbo, 1977.

Estudios bibliográficos

FLORES, Ángel, *Bibliografía de escritores hispanoamericanos: A Bibliography of Spanish American Writers: 1609-1974,* Nueva York, Gordian Press, 1975.

LEAL, Luis, *Bibliografía del cuento mexicano,* México, Ediciones De Andrea, 1958

RAMÍREZ, A. y RAMÍREZ, F. L., «Hacia una bibliografía de y sobre Juan José Arreola», *Revista Iberoamericana.* núm. 108-109. Pittsburgh, jun.-dic., 1979.

Estudios sobre Arreola

En este apartado incluyo muy especialmente los libros y artículos que se refieren a la narrativa breve del autor.

ACKER, Bertie, *El cuento mexicano contemporáneo,* Madrid, Colección Nova Scholar, 1984.

BENTE, Thomas O, *«El guardagujas* de J. J. A.: ¿sátira política o indagación metafísica?», *Cuadernos Americanos,* XXXI, 6, México, 1972, págs. 205-212.

BOYD, John P., «Imágenes de animales y la batalla entre los sexos en dos obras de J. J. A.», *Nueva Narrativa Hispanoamericana,* I, 2, septiembre, Nueva York, 1971, págs. 73-77.

BURNS, Archibaldo, «Juan José Arreola lingüista», *Universidad de México,* Vol. IX, núms. 1-2, sept.-oct., 1954, págs. 30-31.

CARBALLO, Emmanuel, «Arreola y Rulfo cuentistas», *Revista de la Universidad de México,* VIII, 7 de marzo, 1954, págs. 28-29, 32.

— *Cuentistas mexicanos modernos,* tomo I, México, Ediciones Libro-Mex, 1956, págs. VII-XVI, 14.

— «La destrucción o de literatura», *México en la Cultura,* número 488, 20 de julio, 1958, 2.

— «J. J. A.: el hombre criatura subordinado a la mujer», *La Cultura en México,* núm. 178, 14 de julio, 1965, XV.

— *Diecinueve protagonistas de la literatura mexicana del siglo XX,* México, Empresas Editoriales, 1965.

— «El heroísmo de la forma», *México en la Cultura,* núm. 359, 5 de febrero, 1956.

CHAVARRI, Raúl, «Arreola en su varia creación», *Cuadernos hispanoamericanos,* núm. 242, febrero, 1970, págs. 418-425.

Donoso Pareja, Miguel, «Arreola, Rulfo, De la Cuadra, Palacio, cuatro escritores de América», *Ovaciones,* México, núm. 132, 5 julio, 1964.

Echevarría, Evelio, *«El guardagujas:* ideario vital y existencial de J. J. A.», *Nueva Narrativa Hispanoamericana,* IV, Nueva York, ene-sep., 1974, págs. 221-226.

Espejo, Beatriz, «Confesiones de Arreola», *Ovaciones,* México, núm. 147, 18 oct., 1964.

— «Juan José Arreola y la ingenuidad perdida», *La Gaceta,* publicación del Fondo de Cultura Económica, año X, núm. 108, febrero 1963.

Flores, Angel, «El cuento americano actual», *Américas,* Washington, febrero, 1953.

— *Historia y antología del cuento y la novela hispanoamericana,* Nueva York, Las Américas Publishing Company, 1959.

Flores, Ernesto, «Arreola y su obra», *Ovaciones,* México, número 119, 5 de abril, 1964, pág. 7.

Godoy V., Bernabé, «Sobre *Varia Invención»,* *Etcaetera,* Vol. 1, núm. 2, Guadalajara, págs. 117-118.

González-Arauza, Angel, «Ida y vuelta al *Confabulario»,* *Revista Iberoamericana,* XXXIV, 65, Pittsburgh, 1968 páginas 103-107.

Larson, Ross, «La visión realista de Juan José Arreola», *Cuadernos Americanos,* Vol. CLXXI, núm. 4, jul-ago, México, 1970, págs. 226-232.

Leal, Luis, *Historia del cuento hispanoamericano,* México, Ediciones de Andrea, 1966.

Martínez Palacios, Javier, «La maestría de Arreola», *Insula,* año XXI, núm. 240, nov., 1966, 1, 15.

Menton, Seymour, «Arreola y el cuento del siglo XX», *Iberoamérica, sus lenguas y literaturas vistas desde los Estados Unidos,* México, Ediciones de Andrea, 1962.

— *El cuento hispanoamericano, antología crítico-histórica,* México, Fondo de Cultura Económica, T. II, 1964, págs. 221-232

— *Juan José Arreola,* La Habana, Casa de las Américas, 1964.

— «Juan José Arreola and the Twentieth Century Short Story» *Hispania,* XLIII, 3, sept., 1959, págs. 295-308.

Ojeda, Jorge Arturo, «La lucha con el ángel: siete libros de Juan José Arreola», introducción a *Antología de Juan José Arreola,* México, Ediciones Oasis, 1969.

— Prólogo a su edición de *Mujeres, animales y fantasías mecánicas de Juan José Arreola,* Barcelona, Tusquets Editor, 1972.

ORTEGA, Julio, «El ritmo como elemento esencial en la prosa de Juan José Arreola», *México en la cultura,* núm. 715, 2 de diciembre, 1962, pág. 3.

PASSAFARI, Clara, *Los cambios en la concepción y estructura de la narrativa mexicana desde 1947,* Rosario, Universidad Nacional del Litoral, Facultad de Filosofía, 1968, págs. 93-116.

PEREYRA, Gabriel, «Quién es y cómo es Juan José Arreola», *El Día,* 19 de oct., 1964, pág. 9.

REBETEZ, René, «Arreola, sinónimo de lo fantástico», *El heraldo Cultural* (suplemento dominical de *El Heraldo de México*), núm. 274, 7 de febrero, 1971, pág. 9.

RODRÍGUEZ ALCALÁ, Hugo, Reseña de *Confabulario total, Revista Hispánica Moderna,* XXIX, 2 abril 1963, págs. 181-182.

SELVA, Mauricio de la, «Autovivisección de Juan José Arreola» (entrevista), *Cuadernos Americanos,* año XXIX, 171, núm. 4, jul.-ago., 1970, págs. 69-118.

SOMMERS, Joseph, «Review of *Confabulario* and other inventions», *Hispania,* Vol. XLVIII, núm. 2, may., 1965, páginas 394-395.

URANGA, Emilio, «¿Qué ha pasado con Juan José Arreola?», *El Libro y El Pueblo,* III, núms. 2-3, México, 1959-1960, páginas 101-109.

VALENCIA, Antonio, «La estructura de *Confabulario*», en *Variaciones Interpretativas en torno a la Nueva Narrativa Hispanoamericana,* Donald W. Bleznick, ed. Santiago de Chile, Helmy Giacomán Editor, 1972.

62

Confabulario

...mudo espío
mientras alguien voraz a mí me observa.

CARLOS PELLICER

Parturient montes

...nascetur ridiculus mus.
HORACIO, *Ad Pisones,* 139.

Entre amigos y enemigos se difundió la noticia de que yo sabía una nueva versión del parto de los montes. En todas partes me han pedido que la refiera, dando muestras de una expectación que rebasa con mucho el interés de semejante historia. Con toda honestidad, una y otra vez remití la curiosidad del público a los textos clásicos y a las ediciones de moda. Pero nadie se quedó contento: todos querían oírla de mis labios. De la insistencia cordial pasaban, según su temperamento, a la amenaza, a la coacción y al soborno. Algunos flemáticos sólo fingieron indiferencia para herir mi amor propio en lo más vivo. La acción directa tendría que llegar tarde o temprano.

Ayer fui asaltado en plena calle por un grupo de resentidos. Cerrándome el paso en todas direcciones, me pidieron a gritos el principio del cuento. Muchas gentes que pasaban distraídas también se detuvieron, sin saber que iban a tomar parte en un crimen. Conquistadas sin duda por mi aspecto de charlatán comprometido, prestaron de buena gana su concurso. Pronto me hallé rodeado por la masa compacta.

Abrumado y sin salida, haciendo un total acopio de energía, me propuse acabar con mi prestigio de narrador. Y he aquí el resultado. Con una voz falseada por la emoción, trepado en un banquillo de agente de tránsito que alguien me puso debajo de los pies, comienzo a declamar las palabras de siempre, con los ademanes de costumbre: «En medio de terremotos y explosiones, con grandiosas señales de dolor, desarraigando los árboles y desgajando las rocas, se aproxima un gigante advenimiento. ¿Va a nacer un volcán? ¿Un río de fuego? ¿Se alzará en el horizonte una nueva y sumergida estrella? Señoras y señores: ¡Las montañas están de parto!»

El estupor y la vergüenza ahogan mis palabras. Durante varios segundos prosigo el discurso a base de pura pantomima, como un director frente a la orquesta enmudecida. El fracaso es tan real y evidente, que algunas personas se conmueven. «¡Bravo!», oigo que gritan por allí, animándome a llenar la laguna. Instintivamente me llevo las manos a la cabeza y la aprieto con todas mis fuerzas, queriendo apresurar el fin del relato. Los espectadores han adivinado que se trata del ratón legendario, pero simulan una ansiedad enfermiza. En torno a mí siento palpitar un solo corazón.

Yo conozco las reglas del juego, y en el fondo no me gusta defraudar a nadie con una salida de prestidigitador. Bruscamente me olvido de todo. De lo que aprendí en la escuela y de lo que he leído en los libros. Mi mente está en blanco. De buena fe y a mano limpia, me pongo a perseguir al ratón. Por primera vez se produce un silencio respetuoso. Apenas si algunos asistentes participan en voz baja a los recién llegados, ciertos antecedentes del drama. Yo estoy realmente en trance y me busco por todas partes del desenlace, como un hombre que ha perdido la razón.

Recorro mis bolsillos uno por uno y los dejo volteados, a la vista del público. Me quito el sombrero y lo arrojo inmediatamente, desechando la idea de sacar un conejo. Deshago el nudo de mi corbata y sigo adelante, profundizando en la camisa, hasta que mis manos se detienen con horror en los primeros botones del pantalón.

A punto de caer desmayado, me salva el rostro de una mujer que de pronto se enciende con esperanzado rubor. Afirmado en el pedestal, pongo en ella todas mis ilusiones y la elevo a la categoría de musa, olvidando que las mujeres tienen especial debilidad por los temas escabrosos. La tensión llega en este momento a su máximo. ¿Quién fue el alma caritativa que al darse cuenta de mi estado avisó por teléfono? La sirena de la ambulancia preludia en el horizonte una amenaza definitiva.

En el último instante, mi sonrisa de alivio detiene a los que sin duda pensaban en lincharme. Aquí, bajo el brazo izquierdo, en el hueco de la axila, hay un leve calor de nido... Algo aquí se anima y se remueve... Suavemente, dejo caer el brazo a lo largo del cuerpo, con la mano encogida como una cuchara. Y el milagro se produce. Por el túnel de la manga desciende una tierna migaja de vida. Levanto el brazo y extiendo la palma triunfal.

Suspiro, y la multitud suspira conmigo. Sin darme cuenta, yo mismo doy la señal del aplauso y la ovación no se hace esperar. Rápidamente se organiza un desfile asombroso ante el ratón recién nacido. Los entendidos se acercan y lo miran por todos lados, se cercioran de que respira y se mueve, nunca han visto nada igual y me felicitan de todo corazón. Apenas se alejan unos pasos y ya comienzan las objeciones. Dudan, se alzan de hombros y menean la cabeza. ¿Hubo trampa? ¿Es un ratón de verdad? Para tranquilizarme, algunos entusiastas proyectan un paseo en hombros, pero no pasan de allí. El público en general va dispersándose poco a poco. Extenuado por el esfuerzo y a punto de quedarme solo, estoy dispuesto a ceder la criatura al primero que me la pida.

Las mujeres temen casi siempre a esta clase de roedores. Pero aquella cuyo rostro resplandeció entre todos, se aproxima y reclama con timidez el entrañable fruto de fantasía. Halagado a más no poder, yo se lo dedico inmediatamente, y mi confusión no tiene límites cuando se lo guarda amorosa en el seno.

Al despedirse y darme las gracias, explica como puede su actitud, para que no haya malas interpretaciones. Viéndola tan turbada, la escucho con embeleso. Tiene un gato, me dice, y vive con su marido en un departamento de lujo. Sencillamente, se propone darles una pequeña sorpresa. Nadie sabe allí lo que significa un ratón.

En verdad os digo

Todas las personas interesadas en que el camello pase por el ojo de la aguja, deben inscribir su nombre en la lista de patrocinadores del experimento Niklaus.

Desprendido de un grupo de sabios mortíferos, de esos que manipulan el uranio, el cobalto y el hidrógeno, Arpad Niklaus deriva sus investigaciones actuales a un fin caritativo y radicalmente humanitario: la salvación del alma de los ricos.

Propone un plan científico para desintegrar un camello y hacerlo que pase en chorro de electrones por el ojo de una aguja. Un aparato receptor (muy semejante en principio a la pantalla de televisión) organizará los electrones en átomos, los átomos en moléculas y las moléculas en células, reconstruyendo inmediatamente el camello según su esquema primitivo. Niklaus ya logró cambiar de sitio, sin tocarla, una gota de agua pesada. También ha podido evaluar, hasta donde lo permite la discreción de la materia, la energía cuántica que dispara una pezuña de camello. Nos parece inútil abrumar aquí al lector con esa cifra astronómica.

La única dificultad seria en que tropieza el profesor Niklaus es la carencia de una planta atómica propia. Tales instalaciones, extensas como ciudades, son increíblemente caras. Pero un comité especial se ocupa ya en solventar el problema económico mediante una colecta universal. Las primeras aportaciones, todavía un poco tímidas, sirven para costear la edición de millares de folletos, bonos y prospectos explicativos, así como para asegurar al profesor Niklaus el modesto salario que le permite proseguir sus cálculos e investigaciones teóricas, en tanto se edifican los inmensos laboratorios.

En la hora presente, el comité sólo cuenta con el camello y la aguja. Como las sociedades protectoras de animales aprueban el proyecto, que es inofensivo y hasta saludable para cualquier camello (Niklaus habla de una probable regeneración de todas las células), los parques zoológicos del país han ofrecido una verdadera caravana. Nueva York no ha vacilado en exponer su famosísimo dromedario blanco.

Por lo que toca a la aguja, Arpad Niklaus se muestra muy orgulloso, y la considera piedra angular de la experiencia. No es una aguja cualquiera, sino un maravilloso objeto dado a luz por su laborioso talento. A primera vista podría ser confundida con una aguja común y corriente. La señora Niklaus, dando muestra de fino humor, se complace en zurcir con ella la ropa de su marido. Pero su valor es infinito. Está hecha de un portentoso metal todavía no clasificado, cuyo símbolo químico, apenas insinuado por Niklaus, parece dar a entender que se trata de un cuerpo compuesto exclusivamente de isótopos de níquel. Esta sustancia misteriosa ha dado mucho que pensar a los hombres de ciencia. No ha faltado quien sostenga la hipótesis risible de un osmio sintético o de un molibdeno aberrante, o quien se atreva a proclamar públicamente las palabras de un profesor envidioso que aseguró haber reconocido el metal de Niklaus bajo la forma de pequeñísimos grumos cristalinos enquistados en densas masas de siderita. Lo que se sabe a ciencia cierta es que la aguja de Niklaus puede resistir la fricción de un chorro de electrones a velocidad ultracósmica.

En una de esas explicaciones tan gratas a los abstrusos matemáticos, el profesor Niklaus compara el camello en su tránsito con un hilo de araña. Nos dice que si aprovechamos ese hilo para tejer una tela, nos haría falta todo el espacio sideral para extenderla, y que las estrellas visibles e invisibles quedarían allí prendidas como briznas de rocío.

La madeja en cuestión mide millones de años luz, y Niklaus ofrece devanarla en unos tres quintos de segundo.

Como puede verse, el proyecto es del todo viable y hasta diríamos que peca de científico. Cuenta ya con la simpatía y el apoyo moral (todavía no confirmado oficialmente) de la Liga Interplanetaria que preside en Londres el eminente Olaf Stapledon.[1]

En vista de la natural expectación y ansiedad que ha provocado en todas partes la oferta de Niklaus, el comité manifiesta un especial interés llamando la atención de todos los poderosos de la tierra, a fin de que no se dejen sorprender por los charlatanes que están pasando camellos muertos a través de sutiles orificios. Estos individuos, que no titubean al llamarse hombres de ciencia, son simples estafadores a caza de esperanzados incautos. Proceden de un modo sumamente vulgar, disolviendo el camello en soluciones cada vez más ligeras de ácido sulfúrico. Luego destilan el líquido por el ojo de la aguja, mediante una clepsidra de vapor, y creen haber realizado el milagro. Como puede verse, el experimento es inútil y de nada sirve financiarlo. El camello debe estar vivo antes y después del imposible traslado.

En vez de derretir toneladas de cirios y de gastar el dinero en indescifrables obras de caridad, las personas interesadas en la vida eterna que posean un capital estorboso, deben patrocinar la desintegración del camello, que es científica, vistosa y en último término lucrativa. Hablar de generosidad en un caso semejante resulta del todo innecesario. Hay que cerrar los ojos y abrir la bolsa con amplitud, a sabiendas de que todos los gastos serán cubiertos a prorrata. El premio será igual para todos los contribuyentes: lo que urge es aproximar lo más que sea posible la fecha de entrega.

El monto del capital necesario no podrá ser conocido hasta el imprevisible final, y el profesor Niklaus, con toda ho-

---

[1] Olaf Stapledon: utopista inglés (1887-1950). Autor de *A modern theory of Ethics* (1915); *Last and First Men* (1930); *Last Men in London* (1932); Star Maker (1937); *Philosophy and Living* (1939).

nestidad, se niega a trabajar con un presupuesto que no sea fundamentalmente elástico. Los suscriptores deben cubrir con paciencia y durante años sus cuotas de inversión. Hay necesidad de contratar millares de técnicos, gerentes y obreros. Deben fundarse subcomités regionales y nacionales. Y el estatuto de un colegio de sucesores del profesor Niklaus, no tan sólo debe ser previsto, sino presupuesto en detalle, ya que la tentativa puede extenderse razonablemente durante varias generaciones. A este respecto no está por demás señalar la edad provecta del sabio Niklaus.

Como todos los propósitos humanos, el experimento Niklaus ofrece dos probables resultados: el fracaso y el éxito. Además de simplificar el problema de la salvación personal el éxito de Niklaus convertirá a los empresarios de tan mística experiencia en accionistas de una fabulosa compañía de transportes. Será muy fácil desarrollar la desintegración de los seres humanos de un modo práctico y económico. Los hombres del mañana viajarán a través de grandes distancias, en un instante y sin peligro, disueltos en ráfagas electrónicas.

Pero la posibilidad de un fracaso es todavía más halagadora. Si Arpad Niklaus es un fabricante de quimeras y a su muerte le sigue toda una estirpe de impostores, su obra humanitaria no hará sino aumentar en grandeza, como una progresión geométrica, o como el tejido de pollo cultivado por Carrel[2]. Nada impedirá que pase a la historia como el glorioso fundador de la desintegración universal de capitales. Y los ricos, empobrecidos en serie por las agotadoras inversiones, entrarán fácilmente al reino de los cielos por la puerta estrecha (el ojo de la aguja), aunque el camello no pase.

---

[2] Carrel (Alexis): (1873-1944), fisiólogo y cirujano francés. En 1913 se le concedió el Premio Nobel de Medicina. Realizó importantes innovaciones en el tratamiento de las heridas infectadas.

El rinoceronte

Durante diez años luché con un rinoceronte; soy la esposa divorciada del juez McBride.

Joshua McBride me poseyó durante diez años con imperioso egoísmo. Conocí sus arrebatos de furor, su ternura momentánea, y en las altas horas de la noche, su lujuria insistente y ceremoniosa.

Renuncié al amor antes de saber lo que era, porque Joshua me demostró con alegatos judiciales que el amor sólo es un cuento que sirve para entretener a las criadas. Me ofreció en cambio su protección de hombre respetable. La protección de un hombre respetable es, según Joshua, la máxima ambición de toda mujer.

Diez años luché cuerpo a cuerpo con el rinoceronte, y mi único triunfo consistió en arrastrarlo al divorcio.

Joshua McBride se ha casado de nuevo, pero esta vez se equivocó en la elección. Buscando otra Elinor, fue a dar con la horma de su zapato. Pamela es romántica y dulce, pero sabe el secreto que ayuda a vencer a los rinocerontes. Joshua McBride ataca de frente, pero no puede volverse con rapidez. Cuando alguien se coloca de pronto a su espalda, tiene que girar en redondo para volver a atacar. Pamela lo ha cogido de la cola, y no lo suelta, y lo zarandea. De tanto girar en redondo, el juez comienza a dar muestras de fatiga, cede y se ablanda[1]. Se ha vuelto más lento y opaco en

---

[1] El escritor guatemalteco Rafael Arévalo Martínez (1884) fue un maestro en el tratamiento del cuento psicozoológico. *El hombre que pa-*

sus furores; sus prédicas pierden veracidad, como en labios de un actor desconcertado. Su cólera no sale ya a la superficie. Es como un volcán subterráneo, con Pamela sentada encima, sonriente. Con Joshua, yo naufragaba en el mar; Pamela flota como un barquito de papel en una palangana. Es hija de un Pastor prudente y vegetariano que le enseñó la manera de lograr que los tigres se vuelvan también vegetarianos y prudentes.

Hace poco vi a Joshua en la iglesia, oyendo devotamente los oficios dominicales. Está como enjuto y comprimido. Tal parece que Pamela, con sus dos manos frágiles, ha estado reduciendo su volumen y le ha ido doblando el espinazo. Su palidez de vegetariano le da un suave aspecto de enfermo.

Las personas que visitan a los McBride me cuentan cosas sorprendentes. Hablan de unas comidas incomprensibles, de almuerzos y cenas sin rosbif; me describen a Joshua devorando enormes fuentes de ensalada. Naturalmente, de tales alimentos no puede extraer las calorías que daban auge a sus antiguas cóleras. Sus platos favoritos han sido metódicamente alterados o suprimidos por implacables y adustas cocineras. El patagrás[2] y el gorgonzola[3] no envuelven ya el roble ahumado del comedor en su untuosa pestilencia. Han sido reemplazados por insípidas cremas y quesos inodoros que Joshua come en silencio, como un niño castigado. Pamela, siempre amable y sonriente, apaga el ha-

---

recía un caballo (1914) y *El Trovador colombiano* (1914) constituyen dos de sus mejores ejemplos. La influencia de Arévalo Martínez en Arreola es más que probable, si bien el efecto humorístico y caricaturesco es más acusado en el segundo. Como muestra reproduzco el comienzo de *El Trovador colombiano*:

> Tuve la visión del perro al mismo tiempo que la del caballo. Cuando conocí aquella alma nobilísima de piafante corcel del señor de Aretal, conocí también la pobre ánima de perro callejero, de León Franco.

[2] Patagrás: cierta clase de queso blando, muy sabroso.
[3] Gorgonzola: queso italiano caracterizado por enmohecimientos internos.

bano de Joshua a la mitad, raciona el tabaco de su pipa y restringe su whisky.

Esto es lo que me cuentan. Me place imaginarlos a los dos solos, cenando en la mesa angosta y larga, bajo la luz fría de los candelabros. Vigilado por la sabia Pamela, Joshua el glotón absorbe colérico sus livianos manjares. Pero sobre todo, me gusta imaginar al rinoceronte en pantuflas, con el gran cuerpo informe bajo la bata, llamando en las altas horas de la noche, tímido y persistente, ante una puerta obstinada.

La migala

La migala[1] discurre libremente por la casa, pero mi capacidad de horror no disminuye.

El día en que Beatriz y yo entramos en aquella barraca inmunda de la feria callejera, me di cuenta de que la repulsiva alimaña era lo más atroz que podía depararme el destino. Peor que el desprecio y la conmiseración brillando de pronto en una clara mirada.

Unos días más tarde volví para comprar la migala, y el sorprendido saltimbanqui me dio algunos informes acerca de sus costumbres y su alimentación extraña. Entonces comprendí que tenía en las manos, de una vez por todas, la amenaza total, la máxima dosis de terror que mi espíritu podía soportar. Recuerdo mi paso tembloroso, vacilante, cuando de regreso a la casa sentía el peso leve y denso de la araña, ese peso del cual podía descontar, con seguridad, el de la caja de madera en que la llevaba, como si fueran dos pesos totalmente diferentes: el de la madera inocente y el del impuro y ponzoñoso animal que tiraba de mí como un lastre definitivo. Dentro de aquella caja iba el infierno personal que instalaría en mi casa para destruir, para anular al otro, el descomunal infierno de los hombres.

---

[1] Migala: araña del género Mygale. Son las arañas de mayor tamaño, de costumbres nocturnas, y su régimen es entomófago. Se encuentran en todas las regiones tropicales y subtropicales, pero abundan principalmente en América del Sur. Los animales maléficos —como la migala— constituyen un motivo tradicional de la literatura fantástica.

La noche memorable en que solté a la migala en mi departamento y la vi correr como un cangrejo y ocultarse bajo un mueble, ha sido el principio de una vida indescriptible. Desde entonces, cada uno de los instantes de que dispongo ha sido recorrido por los pasos de la araña, que llena la casa con su presencia invisible.

Todas las noches tiemblo en espera de la picadura mortal. Muchas veces despierto con el cuerpo helado, tenso, inmóvil, porque el sueño ha creado para mí, con precisión, el paso cosquilleante de la araña sobre mi piel, su peso indefinible, su consistencia de entraña. Sin embargo, siempre amanece. Estoy vivo y mi alma inútilmente se apresta y se perfecciona.

Hay días en que pienso que la migala ha desaparecido, que se ha extraviado o que ha muerto. Pero no hago nada para comprobarlo. Dejo siempre que el azar me vuelva a poner frente a ella, al salir del baño, o mientras me desvisto para echarme en la cama. A veces el silencio de la noche me trae el eco de sus pasos, que he aprendido a oír, aunque sé que son imperceptibles.

Muchos días encuentro intacto el alimento que he dejado la víspera. Cuando desaparece, no sé si lo ha devorado la migala o algún otro inocente huésped de la casa. He llegado a pensar también que acaso estoy siendo víctima de una superchería y que me hallo a merced de una falsa migala. Tal vez el saltimbanqui me ha engañado, haciéndome pagar un alto precio por un inofensivo y repugnante escarabajo.

Pero en realidad esto no tiene importancia, porque yo he consagrado a la migala con la certeza de mi muerte aplazada. En las horas más agudas del insomnio, cuando me pierdo en conjeturas y nada me tranquiliza, suele visitarme la migala. Se pasea embrolladamente por el cuarto y trata de subir con torpeza a las paredes. Se detiene, levanta su cabeza y mueve los palpos. Parece husmear, agitada, un invisible compañero.

Entonces, estremecido en mi soledad, acorralado por el pequeño monstruo, recuerdo que en otro tiempo yo soñaba en Beatriz y en su compañía imposible.

El guardagujas

El forastero llegó sin aliento a la estación desierta. Su gran valija, que nadie quiso cargar, le había fatigado en extremo. Se enjugó el rostro con un pañuelo, y con la mano en visera miró los rieles que se perdían en el horizonte. Desalentado y pensativo consultó su reloj: la hora justa en que el tren debía partir.

Alguien, salido de quién sabe dónde, le dio una palmada muy suave. Al volverse, el forastero se halló ante un viejecillo de vago aspecto ferrocarrilero. Llevaba en la mano una linterna roja, pero tan pequeña, que parecía de juguete[1]. Miró sonriendo al viajero, que le preguntó con ansiedad:

—Usted perdone, ¿ha salido ya el tren?

—¿Lleva usted poco tiempo en este país?

—Necesito salir inmediatamente. Debo hallarme en T. mañana mismo.

—Se ve que usted ignora las cosas por completo. Lo que debe hacer ahora mismo es buscar alojamiento en la fonda para viajeros —y señaló un extraño edificio ceniciento que más bien parecía un presidio.

—Pero yo no quiero alojarme, sino salir en el tren.

—Alquile usted un cuarto inmediatamente, si es que lo hay. En caso de que pueda conseguirlo, contrátelo por mes, le resultará más barato y recibirá mejor atención.

---

[1] Este relato recuerda *The Signalman (El guardavías)* de Dickens. También allí aparece una luz roja (a la entrada de un túnel) y el guardavías dialoga con un visitante.

—¿Está usted loco? Yo debo llegar a T. mañana mismo.

—Francamente, debería abandonarlo a su suerte. Sin embargo, le daré unos informes.

—Por favor...

—Este país es famoso por sus ferrocarriles, como usted sabe. Hasta ahora no ha sido posible organizarlos debidamente, pero se han hecho grandes cosas en lo que se refiere a la publicación de itinerarios y a la expedición de boletos [2]. Las guías ferroviarias abarcan y enlazan todas las poblaciones de la nación; se expenden boletos hasta para las aldeas más pequeñas y remotas. Falta solamente que los convoyes cumplan las indicaciones contenidas en las guías y que pasen efectivamente por las estaciones. Los habitantes del país así lo esperan; mientras tanto, aceptan las irregularidades del servicio y su patriotismo les impide cualquier manifestación de desagrado.

—Pero ¿hay un tren que pasa por esta ciudad?

—Afirmarlo equivaldría a cometer una inexactitud. Como usted puede darse cuenta, los rieles existen, aunque un tanto averiados. En algunas poblaciones están sencillamente indicados en el suelo mediante dos rayas de gis [3]. Dadas las condiciones actuales, ningún tren tiene la obligación de pasar por aquí, pero nada impide que eso pueda suceder. Yo he visto pasar muchos trenes en mi vida y conocí algunos viajeros que pudieron abordarlos. Si usted espera convenientemente, tal vez yo mismo tenga el honor de ayudarle a subir a un hermoso y confortable vagón.

—¿Me llevará ese tren a T.?

—¿Y por qué se empeña usted en que ha de ser precisamente a T.? Debería darse por satisfecho si pudiera abordarlo. Una vez en el tren, su vida tomará efectivamente algún rumbo. ¿Qué importa si ese rumbo no es el de T.?

—Es que yo tengo un boleto en regla para ir a T. Lógicamente, debo ser conducido a ese lugar, ¿no es así?

—Cualquiera diría que usted tiene razón. En la fonda para viajeros podrá usted hablar con personas que han to-

---

[2] Boleto: billete.
[3] Gis: popularmente, pizarrín.

mado sus precauciones, adquiriendo grandes cantidades de boletos. Por regla general, las gentes previsoras compran pasajes para todos los puntos del país. Hay quien ha gastado en boletos una verdadera fortuna...

—Yo creí que para ir a T. me bastaba un boleto. Mírelo usted...

—El próximo tramo de los ferrocarriles nacionales va a ser construido con el dinero de una sola persona que acaba de gastar su inmenso capital en pasajes de ida y vuelta para un trayecto ferroviario cuyos planos, que incluyen extensos túneles y puentes, ni siquiera han sido aprobados por los ingenieros de la empresa.

—Pero el tren que pasa por T., ¿ya se encuentra en servicio?

—Y no sólo ése. En realidad, hay muchísimos trenes en la nación, y los viajeros pueden utilizarlos con relativa frecuencia, pero tomando en cuenta que no se trata de un servicio formal y definitivo. En otras palabras, al subir a un tren, nadie espera ser conducido al sitio que desea.

—¿Cómo es eso?

—En su afán de servir a los ciudadanos, la empresa debe recurrir a ciertas medidas desesperadas. Hace circular trenes por lugares intransitables. Esos convoyes expedicionarios emplean a veces varios años en su trayecto, y la vida de los viajeros sufre algunas transformaciones importantes. Los fallecimientos no son raros en tales casos, pero la empresa, que todo lo ha previsto, añade a esos trenes un vagón capilla ardiente y un vagón cementerio. Es motivo de orgullo para los conductores depositar el cadáver de un viajero —lujosamente embalsamado— en los andenes de la estación que prescribe su boleto. En ocasiones, estos trenes forzados recorren trayectos en que falta uno de los rieles. Todo un lado de los vagones se estremece lamentablemente con los golpes que dan las ruedas sobre los durmientes. Los viajeros de primera —es otra de las previsiones de la empresa— se colocan del lado en que hay riel. Los de segunda padecen los golpes con resignación. Pero hay otros tramos en que faltan ambos rieles; allí los viajeros sufren por igual, hasta que el tren queda totalmente destruido.

—¡Santo Dios!

—Mire usted: la aldea de F. surgió a causa de uno de esos accidentes. El tren fue a dar en un terreno impracticable. Lijadas por la arena, las ruedas se gastaron hasta los ejes. Los viajeros pasaron tanto tiempo juntos, que de las obligadas conversaciones triviales surgieron amistades estrechas. Algunas de esas amistades se transformaron pronto en idilios, y el resultado ha sido F., una aldea progresista llena de niños traviesos que juegan con los vestigios enmohecidos del tren[4].

—¡Dios mío, yo no estoy hecho para tales aventuras!

—Necesita usted ir templando su ánimo; tal vez llegue usted a convertirse en héroe. No crea que faltan ocasiones para que los viajeros demuestren su valor y sus capacidades de sacrificio. Recientemente, doscientos pasajeros anónimos escribieron una de las páginas más gloriosas en nuestros anales ferroviarios. Sucede que en un viaje de prueba, el maquinista advirtió a tiempo una grave omisión de los constructores de la línea. En la ruta faltaba el puente que debía salvar un abismo. Pues bien, el maquinista, en vez de poner marcha atrás, arengó a los pasajeros y obtuvo de ellos el esfuerzo necesario para seguir adelante. Bajo su enérgica dirección, el tren fue desarmado pieza por pieza y conducido en hombros al otro lado del abismo, que todavía reservaba la sorpresa de contener en su fondo un río caudaloso. El resultado de la hazaña fue tan satisfactorio que la empresa renunció definitivamente a la construcción del puente, conformándose con hacer un atractivo descuento en las tarifas de los pasajeros que se atreven a afrontar esa molestia suplementaria.

—¡Pero yo debo llegar a T. mañana mismo!

—¡Muy bien! Me gusta que no abandone usted su proyecto. Se ve que es usted un hombre de convicciones. Alójese por lo pronto en la fonda y tome el primer tren que pase. Trate de hacerlo cuando menos; mil personas esta-

---

[4] En «La autopista del sur» de J. Cortázar, como consecuencia de un embotellamiento que seprolonga indefinidamente, se origina también una comunidad solidaria y feliz entre los conductores.

rán para impedírselo. Al llegar un convoy, los viajeros, irritados por una espera demasiado larga, salen de la fonda en tumulto para invadir ruidosamente la estación. Muchas veces provocan accidentes con su increíble falta de cortesía y de prudencia. En vez de subir ordenadamente se dedican a aplastarse unos a otros; por lo menos, se impiden para siempre el abordaje, y el tren se va dejándolos amotinados en los andenes de la estación. Los viajeros, agotados y furiosos, maldicen su falta de educación, y pasan mucho tiempo insultándose y dándose de golpes.

—¿Y la policía no interviene?

—Se ha intentado organizar un cuerpo de policía en cada estación, pero la imprevisible llegada de los trenes hacía tal servicio inútil y sumamente costoso. Además, los miembros de ese cuerpo demostraron muy pronto su venalidad, dedicándose a proteger la salida exclusiva de pasajeros adinerados que les daban a cambio de esa ayuda todo lo que llevaban encima. Se resolvió entonces el establecimiento de un tipo especial de escuelas, donde los futuros viajeros reciben lecciones de urbanidad y un entrenamiento adecuado. Allí se les enseña la manera correcta de abordar un convoy, aunque esté en movimiento y a gran velocidad. También se les proporciona una especie de armadura para evitar que los demás pasajeros les rompan las costillas.

—Pero una vez en el tren, ¿está uno a cubierto de nuevas contingencias?

—Relativamente. Sólo le recomiendo que se fije muy bien en las estaciones. Podría darse el caso de que usted creyera haber llegado a T., y sólo fuese una ilusión. Para regular la vida a bordo de los vagones demasiado repletos, la empresa se ve obligada a echar mano de ciertos expedientes. Hay estaciones que son pura apariencia: han sido construidas en plena selva y llevan el nombre de alguna ciudad importante. Pero basta poner un poco de atención para descubrir el engaño. Son como las decoraciones del teatro, y las personas que figuran en ellas está llenas de aserrín. Esos muñecos revelan fácilmente los estragos de la intemperie, pero son a veces una perfecta imagen de la realidad: llevan en el rostro las señales de un cansancio infinito.

81

—Por fortuna, T. no se halla muy lejos de aquí.

—Pero carecemos por el momento de trenes directos. Sin embargo, no debe excluirse la posibilidad de que usted llegue mañana mismo, tal como desea. La organización de los ferrocarriles, aunque deficiente, no excluye la posibilidad de un viaje sin escalas. Vea usted, hay personas que ni siquiera se han dado cuenta de lo que pasa. Compran un boleto para ir a T. Viene un tren, suben, y al día siguiente oyen que el conductor anuncia: «Hemos llegado a T.» Sin tomar precaución alguna, los viajeros descienden y se hallan efectivamente en T.

—¿Podría yo hacer alguna cosa para facilitar ese resultado?

—Claro que puede usted. Lo que no se sabe es si le servirá de algo. Inténtelo de todas maneras. Suba usted al tren con la idea fija de que va a llegar a T. No trate a ninguno de los pasajeros. Podrán desilusionarlo con sus historias de viaje, y hasta denunciarlo a las autoridades.

—¿Qué está usted diciendo?

—En virtud del estado actual de las cosas los trenes viajan llenos de espías. Estos espías, voluntarios en su mayor parte, dedican su vida a fomentar el espíritu constructivo de la empresa. A veces uno no sabe lo que dice y habla sólo por hablar. Pero ellos se dan cuenta en seguida de todos los sentidos que puede tener una frase, por sencilla que sea. Del comentario más inocente saben sacar una opinión culpable. Si usted llegara a cometer la menor imprudencia, sería aprehendido sin más; pasaría el resto de su vida en un vagón cárcel o le obligarían a descender en una falsa estación perdida en la selva. Viaje usted lleno de fe, consuma la menor cantidad posible de alimentos y no ponga los pies en el andén antes de que vea en T. alguna cara conocida.

—Pero yo no conozco en T. a ninguna persona.

—En ese caso redoble usted sus precauciones. Tendrá, se lo aseguro, muchas tentaciones en el camino. Si mira usted por las ventanillas, está expuesto a caer en la trampa de un espejismo. Las ventanillas están provistas de ingeniosos dispositivos que crean toda clase de ilusiones en el ánimo de los pasajeros. No hace falta ser débil para caer en ellas. Ciertos aparatos, operados desde la locomotora, hacen creer, por el ruido y los movimientos, que el tren está en marcha. Sin embargo, el tren permanece detenido semanas enteras, mientras los viajeros ven pasar cautivadores paisajes a través de los cristales.

—¿Y eso qué objeto tiene?

—Todo esto lo hace la empresa con el sano propósito de disminuir la ansiedad de los viajeros y de anular en todo lo posible las sensaciones de traslado. Se aspira a que un día se entreguen plenamente al azar, en manos de una empresa omnipotente, y que ya no les importe saber a dónde van ni de dónde vienen.

—Y usted, ¿ha viajado mucho en los trenes?

—Yo, señor, sólo soy guardagujas. A decir verdad, soy un guardagujas jubilado, y sólo aparezco aquí de vez en cuando para recordar los buenos tiempos. No he viajado nunca, ni tengo ganas de hacerlo. Pero los viajeros me cuentan historias. Sé que los trenes han creado muchas poblaciones además de la aldea de F. cuyo origen le he referido. Ocurre a veces que los tripulantes de un tren reciben órdenes misteriosas. Invitan a los pasajeros a que desciendan de los vagones, generalmente con el pretexto de que admiren las bellezas de un determinado lugar. Se les habla de grutas, de cataratas o de ruinas célebres: «Quince minutos para que admiren ustedes la gruta tal o cual», dice amablemente el conductor. Una vez que los viajeros se hallan a cierta distancia, el tren escapa a todo vapor.

—¿Y los viajeros?

—Vagan desconcertados de un sitio a otro durante algún tiempo, pero acaban por congregarse y se establecen en colonia. Estas paradas intempestivas se hacen en lugares adecuados, muy lejos de toda civilización y con riquezas naturales suficientes. Allí se abandonan lotes selectos, de gente joven, y sobre todo con mujeres abundantes. ¿No le gustaría a usted pasar sus últimos días en un pintoresco lugar desconocido, en compañía de una muchachita?

El viejecillo sonriente hizo un guiño y se quedó mirando al viajero, lleno de bondad y de picardía. En ese momento se oyó un silbido lejano. El guardagujas dio un brinco, y se puso a hacer señales ridículas y desordenadas con su linterna.

—¿Es el tren? —preguntó el forastero.

El anciano echó a correr por la vía, desaforadamente. Cuando estuvo a cierta distancia, se volvió para gritar:

—¡Tiene usted suerte! Mañana llegará a su famosa estación. ¿Cómo dice usted que se llama?

—¡X! —contestó el viajero.

En ese momento el viejecillo se disolvió en la clara mañana. Pero el punto rojo de la linterna siguió corriendo y saltando entre los rieles, imprudente, al encuentro del tren.

Al fondo del paisaje, la locomotora se acercaba como un ruidoso advenimiento.

El discípulo

De raso negro, bordeada de armiño y con gruesos alamares de plata y de ébano, la gorra de Andrés Salaino es la más hermosa que he visto. El maestro la compró a un mercader veneciano y es realmente digna de un príncipe. Para no ofenderme, se detuvo al pasar por el Mercado Viejo y eligió este bonete de fieltro gris. Luego, queriendo celebrar el estreno, nos puso de modelo el uno al otro.

Dominado mi resentimiento, dibujé una cabeza de Salaino, lo mejor que ha salido de mi mano. Andrés aparece tocado con su hermosa gorra, y con el gesto altanero que pasea por las calles de Florencia, creyéndose a los dieciocho años un maestro de la pintura. A su vez, Salaino me retrató con ridículo bonete y con el aire de un campesino recién llegado de San Sepolcro[1]. El maestro celebró alegremente nuestra labor, y él mismo sintió ganas de dibujar. Decía: «Salaino sabe reírse y no ha caído en la trampa.» Y luego, dirigiéndose a mí: «Tú sigues creyendo en la belleza. Muy caro lo pagarás. No falta en tu dibujo una línea, pero sobran muchas. Traedme un cartón. Os enseñaré cómo se destruye la belleza.»

Con un lápiz de carbón trazó el bosquejo de una bella figura: el rostro de un ángel, tal vez el de una hermosa mu-

---

[1] San Sepolcro: municipio de Italia, en Toscana, en el alto valle del Tíber. Cuna de Piero della Francesca.

jer. Nos dijo: «Mirad, aquí está naciendo la belleza. Estos dos huecos sombríos son sus ojos; estas líneas imperceptibles, la boca. El rostro entero carece de contorno. Ésta es la belleza.» Y luego, con un guiño: «Acabemos con ella.» Y en poco tiempo, dejando caer unas líneas sobre otras, creando espacios de luz y de sombras, hizo de memoria ante mis ojos maravillados el retrato de Gioia. Los mismos ojos oscuros, el mismo óvalo del rostro, la misma imperceptible sonrisa.

Cuando yo estaba embelesado, el maestro interrumpió su trabajo y comenzó a reír de manera extraña. «Hemos acabado con la belleza», dijo. «Ya no queda sino esta infame caricatura.» Sin comprender, yo seguía contemplando aquel rostro espléndido y sin secretos. De pronto, el maestro rompió en dos el dibujo y arrojó los pedazos al fuego de la chimenea. Quedé inmóvil de estupor. Y entonces él hizo algo que nunca podré olvidar ni perdonar. De ordinario tan silencioso, echó a reír con una risa odiosa, frenética. «¡Anda, pronto, salva a tu señora del fuego!» Y me tomó la mano derecha y revolvió con ella las frágiles cenizas de la hoja de cartón. Vi por última vez sonreír el rostro de Gioia entre las llamas.

Con mi mano escaldada lloré silencioso, mientras Salaino celebraba ruidosamente la pesada broma del maestro.

Pero sigo creyendo en la belleza. No seré un gran pintor, y en vano olvidé en San Sepolcro las herramientas de mi padre. No seré un pintor, y Gioia casará con el hijo de un mercader. Pero sigo creyendo en la belleza.

Trastornado, salgo del taller y vago al azar por las calles. La belleza está en torno de mí, y llueve oro y azul sobre Florencia. La veo en los ojos oscuros de Gioia, y en el porte arrogante de Salaino, tocado con su gorra de abalorios. Y en las orillas del río me detengo a contemplar mis dos manos ineptas.

La luz cede poco a poco y el Campanile recorta en el cielo su perfil sombrío. El panorama de Florencia se oscurece lentamente, como un dibujo sobre el cual se acumulan demasiadas líneas. Una campana deja caer el comienzo de la noche.

Asustado, palpo mi cuerpo y echo a correr temeroso de disolverme en el crepúsculo. En las últimas nubes creo distinguir la sonrisa fría y desencantada del maestro, que hila mi corazón. Y vuelvo a caminar lentamente, cabizbajo, por las calles cada vez más sombrías, seguro de que voy a perderme en el olvido de los hombres.

Eva

Él la perseguía a través de la biblioteca entre mesas, sillas y facistoles. Ella se escapaba hablando de los derechos de la mujer, infinitamente violados. Cinco mil años absurdos los separaban. Durante cinco mil años ella había sido inexorablemente vejada, postergada, reducida a la esclavitud. Él trataba de justificarse por medio de una rápida y fragmentaria alabanza personal, dicha con frases entrecortadas y trémulos ademanes.

En vano buscaba él los textos que podían dar apoyo a sus teorías. La biblioteca, especializada en literatura española de los siglos XVI y XVII, era un dilatado arsenal enemigo, que glosaba el concepto del honor y algunas atrocidades de ese mismo jaez.

El joven citaba infatigablemente, a J. J. Bachofen[1], el sabio que todas las mujeres debían leer, porque les ha devuelto la grandeza de su papel en la prehistoria. Si sus libros estuvieran a mano, él habría puesto a la muchacha ante el cuadro de aquella civilización oscura, regida por la mujer, cuando la tierra tenía en todas partes una recóndita humedad de entraña y el hombre trataba de alzarse de ella en palafitos.

Pero a la muchacha todas estas cosas la dejaban fría. Aquel periodo matriarcal, por desgracia no histórico y ape-

---

[1] J. J. Bachofen: notable jurisconsulto e historiador (Basilea, 1815-1887). Puede considerársele como uno de los fundadores de la ciencia comparada del Derecho.

nas comprobable, parecía aumentar su resentimiento. Se escapaba siempre de anaquel en anaquel, subía a veces a las escalerillas y abrumaba al joven bajo una lluvia de denuestos. Afortunadamente, en la derrota, algo acudió en auxilio del joven. Se acordó de pronto de Heinz Wölpe. Su voz adquirió citando a este autor un nuevo y poderoso acento.

«En el principio sólo había un sexo, evidentemente femenino, que se reproducía automáticamente. Un ser mediocre comenzó a surgir en forma esporádica, llevando una vida precaria y estéril frente a la maternidad formidable. Sin embargo, poco a poco fue apropiándose ciertos órganos esenciales. Hubo un momento en que se hizo imprescindible. La mujer se dio cuenta, demasiado tarde, de que le faltaban ya la mitad de sus elementos y tuvo necesidad de buscarlos en el hombre, que fue hombre en virtud de esa separación progresista y de ese regreso accidental a su punto de origen»[2].

La tesis de Wölpe sedujo a la muchacha. Miró al joven con ternura. «El hombre es un hijo que se ha portado mal con su madre a través de toda la historia», dijo casi con lágrimas en los ojos.

Lo perdonó a él, perdonando a todos los hombres. Su mirada perdió resplandores, bajó los ojos como una madona. Su boca, endurecida antes por el desprecio, se hizo blanda y dulce como un fruto. Él sentía brotar de sus manos y de sus labios caricias mitológicas. Se acercó a Eva temblando y Eva no huyó.

Y allí en la biblioteca, en aquel escenario complicado y negativo, al pie de los volúmenes de conceptuosa literatura, se inició el episodio milenario, a semejanza de la vida en los palafitos.

---

[2] La idea básica de esta prosa sobre la necesidad de complementación ente lo masculino y lo femenino aparece también en el cuento «La Fornarina» de Arévalo Martínez (*Cratilo y otros cuentos,* Universidad de San Carlos de Guatemala, 1968.)

Pueblerina

Al volver la cabeza sobre el lado derecho para dormir el último, breve y delgado sueño de la mañana, don Fulgencio tuvo que hacer un gran esfuerzo y empitonó la almohada. Abrió los ojos. Lo que hasta entonces fue una blanda sospecha, se volvió certeza puntiaguda.

Con un poderoso movimiento del cuello don Fulgencio levantó la cabeza, y la almohada voló por los aires. Frente al espejo, no pudo ocultarse su admiración, convertido en un soberbio ejemplar de rizado testuz y espléndidas agujas. Profundamente insertados en la frente, los cuernos eran blanquecinos en su base, jaspeados a la mitad, y de un negro aguzado en los extremos.

Lo primero que se le ocurrió a don Fulgencio fue ensayarse el sombrero. Contrariado, tuvo que echarlo hacia atrás: eso le daba un aire de cierta fanfarronería.

Como tener cuernos no es una razón suficiente para que un hombre metódico interrumpa el curso de sus acciones, don Fulgencio emprendió la tarea de su ornato personal, con minucioso esmero, de pies a cabeza. Después de lustrarse los zapatos, don Fulgencio cepilló ligeramente sus cuernos, ya de por sí resplandecientes.

Su mujer le sirvió el desayuno con tacto exquisito. Ni un solo gesto de sorpresa, ni la más mínima alusión que pudiera herir al marido noble y pastueño. Apenas si una suave y temerosa mirada revoloteó un instante, como sin atreverse a posar en las afiladas puntas.

El beso en la puerta fue como el dardo de la divisa.

Y don Fulgencio salió a la calle respingando, dispuesto a arremeter contra su nueva vida. Las gentes lo saludaban como de costumbre, pero al cederle la acera un jovenzuelo, don Fulgencio adivinó un esguince lleno de torería. Y una vieja que volvía de misa le echó una de esas miradas estupendas, insidiosa y desplegada como una larga serpentina. Cuando quiso ir contra ella el ofendido, la lechuza entró en su casa como el diestro detrás de un burladero. Don Fulgencio se dio un golpe contra la puerta, cerrada inmediatamente, que le hizo ver las estrellas. Lejos de ser una apariencia, los cuernos tenían que ver con la última derivación de su esqueleto. Sintió el choque y la humillación hasta en la punta de los pies.

Afortunadamente, la profesión de don Fulgencio no sufrió ningún desdoro ni decadencia. Los clientes acudían a él entusiasmados, porque su agresividad se hacía cada vez más patente en el ataque y la defensa. De lejanas tierras venían los litigantes a buscar el patrocinio de un abogado con cuernos.

Pero la vida tranquila del pueblo tomó a su alrededor un ritmo agobiante de fiesta brava, llena de broncas y herraderos. Y don Fulgencio embestía a diestro y siniestro, contra todos, por quítame allá esas pajas. A decir verdad, nadie le echaba sus cuernos en cara, nadie se los veía siquiera. Pero todos aprovechaban la menor distracción para ponerle un buen par de banderillas; cuando menos, los más tímidos se conformaban con hacerle unos burlescos y floridos galleos. Algunos caballeros de estirpe medieval no desdeñaban la ocasión de colocar a don Fulgencio un buen puyazo, desde sus engreídas y honorables alturas. Las serenatas del domingo y las fiestas nacionales daban motivo para improvisar ruidosas capeas populares a base de don Fulgencio, que achuchaba, ciego de ira, a los más atrevidos lidiadores.

Mareado de verónicas, faroles y revoleras, abrumado con desplantes, muletazos y pases de castigo, don Fulgencio llegó a la hora de la verdad lleno de resabios y peligrosos derrotes, convertido en una bestia feroz. Ya no lo invitaban a ninguna fiesta ni ceremonia pública, y su mujer se quejaba amargamente del aislamiento en que la hacía vivir el mal carácter de su marido.

A fuerza de pinchazos, varas y garapullos, don Fulgencio disfrutaba sangrías cotidianas y pomposas hemorragias dominicales. Pero todos los derrames se le iban hacia dentro, hasta el corazón hinchado de rencor.

Su grueso cuello de miura hacía presentir el instantáneo fin de los pletóricos. Rechoncho y sanguíneo, seguía embistiendo en todas direcciones, incapaz de reposo y de dieta. Y un día que cruzaba la Plaza de Armas, trotando a la querencia, don Fulgencio se detuvo y levantó la cabeza azorado, al toque de un lejano clarín. El sonido se acercaba, entrando en sus orejas como una tromba ensordecedora. Con los ojos nublados, vio abrirse a su alrededor un coso gigantesco; algo así como un Valle de Josafat[1] lleno de prójimos con trajes de luces. La congestión se hundió luego en su espina dorsal, como una estocada hasta la cruz. Y don Fulgencio rodó patas arriba sin puntilla.

A pesar de su profesión, el notorio abogado dejó su testamento en borrador. Allí expresaba, en un sorprendente tono de súplica, la voluntad postrera de que al morir le quitaran los cuernos, ya fuera a serrucho, ya a cincel y martillo. Pero su conmovedora petición se vio traicionada por la diligencia de un carpintero oficioso, que le hizo el regalo de un ataúd especial, provisto de dos vistosos añadidos laterales.

Todo el pueblo acompañó a don Fulgencio en el arrastre, conmovido por el recuerdo de su bravura. Y a pesar del apogeo luctuoso de las ofrendas, las exequias y las tocas de la viuda, el entierro tuvo un no sé qué de jocunda y risueña mascarada.

---

[1] Valle de Josafat: nombre que se da corrientemente al valle del Cedrón entre Jerusalén y el monte de los Olivos. Un texto de la Biblia (Joel, 3,2) ha dado origen a la tradición de que el juicio universal tendrá lugar en dicho valle: «reuniré a todas las gentes / y las haré bajar al valle de Josafat, / y litigaré en juicio con ellos / a propósito de mi pueblo y de mi heredad». Este tipo de referencias bíblicas son frecuentísimas en la prosa de Arreola.

Sinesio de Rodas

Las páginas abrumadoras de la *Patrología griega* de Paul Migne[1] han sepultado la memoria frágil de Sinesio de Rodas[2], que proclamó el imperio terrestre de los ángeles del azar.

Con su habitual exageración, Orígenes[3] dio a los ángeles una importancia excesiva dentro de la economía celestial. Por su parte, el piadoso Clemente de Alejandría[4] reconoció por primera vez un ángel guardián a nuestra espalda. Y entre los primeros cristianos del Asia Menor se propagó un afecto desordenado por las multiplicidades jerárquicas.

---

[1] Paul Migne: Eclesiástico francés (St. Flour de la Auvergne, 1800-1875). Conocidísimo autor-editor de la Biblioteca Universal del Clero destinada a difundir los mejores escritos referentes a la ilustración del clero. La *Patrología griega* (cuyo tomo LXVI está dedicado a Sinesio) constituye, junto con la *Patrología latina,* las dos series que componen los 161 tomos de la *Patrologiae cursus completus,* publicadas de 1857 a 1866.

[2] Sinesio de Rodas: Filólogo y obispo de fines del siglo IV y principios del V. Natural de Cirene (África), descendiente de una familia griega de origen dorio. Personalidad compleja, formada en las doctrinas neoplatónicas. Plantea y analiza profundamente cuestiones de teología y filosofía.

[3] Orígenes: teólogo y exégeta (Alejandría 183/186-Tiro 252/254). Abrió el camino a todas las ciencias sagradas. La doctrina resultante de sus escritos, el origenismo, fue condenada posteriormente por la Iglesia.

[4] Clemente de Alejandría: escritor eclesiástico griego (Atenas, 150 —entre 211 y 216). Es es iniciador de la elaboración científica de la teología. Buen moralista, su intelectualismo le llevó a erigir el conocimiento (gnosis) en ideal del cristiano y afirma que el pecado nace de la ignorancia. Fue maestro de Orígenes.

Entre la masa oscura de los herejes angelólogos, Valentino el Gnóstico[5] y Basílides[6], su eufórico discípulo, emergen con brillo luciferino. Ellos dieron alas al culto maniático de los ángeles. En pleno siglo II quisieron alzar del suelo pesadísimas criaturas positivas, que llevan hermosos nombres científicos, como Dínamo y Sofía, a cuya progenie bestial debe el género humano sus desdichas.

Menos ambicioso que sus predecesores, Sinesio de Rodas aceptó el Paraíso tal y como fue concebido por los Padres de la Iglesia, y se limitó a vaciarlo de sus ángeles. Dijo que los ángeles viven entre nosotros y que a ellos debemos entregar directamente todas nuestras plegarias, en su calidad de concesionarios y distribuidores exclusivos de las contingencias humanas. Por un mandato supremo, los ángeles dispersan, provocan y acarrean los mil y mil accidentes de la vida. Los hacen cruzar y entretejerse unos con otros, en un movimiento acelerado y aparentemente arbitrario. Pero a los ojos de Dios, van urdiendo una tela de complicados arabescos, mucho más hermosa que el constelado cielo nocturno. Los dibujos del azar se transforman, ante la mirada eterna, en misteriosos signos cabalísticos que narran la aventura del mundo.

Los ángeles de Sinesio, como innumerables y veloces lanzaderas, están tejiendo desde el principio de los tiempos la trama de la vida. Vuelan de un lado a otro, sin cesar, trayendo y llevando voliciones, ideas, vivencias y recuerdos, dentro de un cerebro infinito y comunicante, cuyas células nacen y mueren con la vida efímera de los hombres.

Tentando por el auge maniqueo, Sinesio de Rodas no

---

[5] Valentino el Gnóstico: de origen egipcio (-161). Estudió en Alejandría y fijó su residencia en Roma (c. 140). En su doctrina se encuentran huellas de las teorías platónicas, imitaciones del paganismo, tradiciones judías, el dualismo persa y los dogmas cristianos mal asimilados o deformados.

[6] Basílides: uno de los más célebres gnósticos. Vivió por los años 120-140 en Alejandría. Sus teorías se conocen por San Ireneo y San Hipólito. Basílides sostenía que los ángeles crearon 365 cielos y los ángeles del cielo más inferior crearon la tierra. El más elevado de los mismos es el Dios de los judíos.

tuvo inconveniente en alojar en su teoría a las huestes de Lucifer, y admitió los diablos en calidad de saboteadores. Ellos complican la urdimbre sobre la que los ángeles traman; rompen el buen hilo de nuestros pensamientos, alteran los colores puros, se birlan la seda, el oro y la plata, y los suplen con burdo cañamazo. Y la humanidad ofrece a los ojos de Dios su lamentable tapicería, donde aparecen tristemente alteradas las líneas del diseño original.

Sinesio se pasó la vida reclutando operarios que trabajaran del lado de los ángeles buenos, pero no tuvo continuadores dignos de estima. Solamente se sabe que Fausto de Milevio, el patriarca maniqueo, cuando ya viejo y desteñido volvía de aquella memorable entrevista africana en que fue decisivamente vapuleado por San Agustín, se detuvo en Rodas para escuchar las prédicas de Sinesio, que quiso ganarlo para una causa sin porvenir. Fausto escuchó las peticiones del angelófilo con deferencia senil, y aceptó fletar una pequeña y desmantelada embarcación que el apóstol abordó peligrosamente con todos sus discípulos, rumbo a una empresa continental. No se volvió a saber nada de ellos, después de que se alejaron de las costas de Rodas, en un día que presagiaba tempestad.

La herejía de Sinesio careció de renombre y se perdió en el horizonte cristiano sin estela aparente. Ni siquiera obtuvo el honor de ser condenada oficialmente en concilio, a pesar de que Eutiques[7], abad de Constantinopla, presentó a los sinodales una extensa refutación, que nadie leyó, titulada *Contra Sinesio*.

Su frágil memoria ha naufragado en un mar de páginas: la *Patrología griega* de Paul Migne.

---

[7] Eutiques: Archimandrita de un monasterio cercano a Constantinopla. Después de haber combatido la herejía de Nestorio cayó en el error opuesto: afirmaba que tan sólo había en el Salvador una naturaleza, la divina. Fue condenado por el Concilio de Calcedonia (451).

Monólogo del insumiso[1]

Homenaje a M. A.

Poseí a la huérfana la noche misma en que velábamos a su padre a la luz parpadeante de los cirios. (¡Oh, si pudiera decir esto mismo con otras palabras!)

Como todo se sabe en este mundo, la cosa llegó a oídos del viejecillo que mira nuestro siglo a través de sus maliciosos quevedos. Me refiero a ese anciano señor que preside las letras mexicanas tocado con el gorro de dormir de los memorialistas, y que me vapuleó en plena calle con su enfurecido bastón, ante la ineficacia de la policía ciudadana. Recibí también una corrosiva lluvia de injurias proferidas con voz aguda y furiosa. Y todo gracias a que el incorrecto patriarca ¡el diablo se lo lleve! estaba enamorado de la dulce muchacha que desde ahora me aborrece.

¡Ay de mí! Ya me aborrece hasta la lavandera, a pesar de nuestros cándidos y dilatados amores. Y la bella confidente, a quien el decir popular señala como mi Dulcinea, no quiso oír ya las quejas del corazón doliente de su poeta. Creo que me desprecian hasta los perros.

Por fortuna, estas infames habladurías no pueden llegar hasta mi querido público. Yo canto para un auditorio compuesto de recatadas señoritas y de empolvados viejitos po-

---

[1] Todos los indicios —incluida la dedicatoria— apuntan hacia el escritor mexicano Manuel Acuña (1849-1873): el desprecio de la amada, Rosario de la Peña, causa inmediata que lo llevó a la muerte, el escepticismo, el mal del siglo, etc... Entre sus composiciones más populares figura el *Nocturno a Rosario*.

sitivistas. A ellos la atroz especie no llega; están bien lejos del mundanal ruido. Para ellos sigo siendo el pálido joven que impreca a la divinidad en imperiosos tercetos y que restaña sus lágrimas con una blonda guedeja.

Estoy acribillado de deudas para con los críticos del futuro. Sólo puedo pagar con lo que tengo. Heredé un talego de imágenes gastadas. Pertenezco al género de los hijos pródigos que malgastan el dinero de los antepasados, pero que no pueden hacer fortuna con sus propias manos. Todas las cosas que se me han ocurrido las recibí enfundadas en una metáfora. Y a nadie le he podido contar la atroz aventura de mis noches de solitario, cuando el germen de Dios comienza a crecer de pronto en mi alma vacía.

Hay un diablo que me castiga poniéndome en ridículo. Él me dicta casi todo lo que escribo. Y mi pobre alma cancelada está ahogándose bajo el aluvión de las estrofas.

Sé muy bien que llevando una vida un poco más higiénica y racional podría llegar en buen estado al siglo venidero. Donde una poesía nueva está aguardando a los que logren salvarse de este desastroso siglo XIX. Pero me siento condenado a repetirme y a repetir a los demás.

Ya me imagino mi papel para entonces y veo al joven crítico que me dice con su acostumbrada elegancia: «Usted, querido señor, un poco más atrás, si no le es molesto. Allí, entre los representantes de nuestro romanticismo.»

Y yo andaría con mi cabellera llena de telarañas, representando a los ochenta años las antiguas tendencias con poemas cada vez más cavernosos y más inoperantes. No señor. No me dirá usted «un poco más atrás por favor». Me voy desde ahora. Es decir, prefiero quedarme aquí, en esta confortable tumba de romántico, reducido a mi papel de botón tronchado, de semilla aventada por el gélido soplo del escepticismo. Muchas gracias por su buenas intenciones.

Ya llorarán por mí las señoritas vestidas de color de rosa, al pie de un ahuehuete[2] centenario. Nunca faltará un car-

---

[2] Ahuehuete: nombre vulgar, en México, de un árbol de las coníferas, que crece de preferencia en las orillas de los ríos, o en lugares pantanosos, y que adquiere enorme corpulencia.

camal positivista que celebre mis bravatas, ni un joven sardónico que comprenda mi secreto, y llore por mí una lágrima oculta.

La gloria, que amé a los dieciocho años, me parece a los veinticuatro algo así como una corona mortuoria que se pudre y apesta en la humedad de una fosa.

Verdaderamente, quisiera hacer algo diabólico, pero no se me ocurre nada.

Cuando menos, me gustaría que no sólo en mi cuarto, sino a través de toda la literatura mexicana, se extendiera un poco este olor de almendras amargas que exhala el licor que a la salud de ustedes, señoras y señores, me dispongo a beber.

El prodigioso miligramo

...*moverán prodigiosos miligramos*.
CARLOS PELLICER

Una hormiga censurada por la sutileza de sus cargas y por sus frecuentes distracciones, encontró una mañana, al desviarse nuevamente del camino, un prodigioso miligramo.

Sin detenerse a meditar en las consecuencias del hallazgo, cogió el miligramo y se lo puso en la espalda. Comprobó con alegría una carga justa para ella. El peso ideal de aquel objeto daba a su cuerpo extraña energía: como el peso de las alas en el cuerpo de los pájaros. En realidad, una de las causas que anticipan la muerte de las hormigas es la ambiciosa desconsideración de sus propias fuerzas. Después de entregar en el depósito de cereales un grano de maíz, la hormiga que lo ha conducido a través de un kilómetro apenas tiene fuerzas para arrastrar al cementerio su propio cadáver.

La hormiga del hallazgo ignoraba su fortuna, pero sus pasos demostraron la prisa ansiosa del que huye llevando un tesoro. Un vago y saludable sentimiento de reivindicación comenzaba a henchir su espíritu. Después de un larguísimo rodeo, hecho con alegre propósito, se unió al hilo de sus compañeras que regresaban todas, al caer la tarde, con la carga solicitada ese día: pequeños fragmentos de hoja de lechuga cuidadosamente recortados. El camino de las hormigas formaba una delgada y confusa crestería de diminuto verdor. Era imposible engañar a nadie: el miligramo desentonaba violentamente en aquella perfecta uniformidad.

Ya en el hormiguero, las cosas empezaron a agravarse. Las guardianas de la puerta, y las inspectoras situadas en todas las galerías, fueron poniendo objeciones cada vez más serias al extraño cargamento. Las palabras «miligramo» y «prodigioso» sonaron aisladamente, aquí y allá, en labios de algunas entendidas. Hasta que la inspectora en jefe, sentada con gravedad ante una mesa imponente, se atrevió a unirlas diciendo con sorna a la hormiga confundida: «Probablemente nos ha traído usted un prodigioso miligramo. La felicito de todo corazón, pero mi deber es dar parte a la policía.»

Los funcionarios del orden público son las personas menos aptas para resolver cuestiones de prodigios y de miligramos. Ante aquel caso imprevisto por el código penal, procedieron con apego a las ordenanzas comunes y corrientes, confiscando el miligramo con hormiga y todo. Como los antecedentes de la acusada eran pésimos, se juzgó que era un proceso de trámite legal. Y las autoridades competentes se hicieron cargo del asunto.

La lentitud habitual de los procedimientos judiciales iba en desacuerdo con la ansiedad de la hormiga, cuya extraña conducta la indispuso hasta con sus propios abogados. Obedeciendo al dictado de convicciones cada vez más profundas, respondía con altivez a todas las preguntas que se le hacían. Propagó el rumor de que se cometían en su caso gravísimas injusticias, y anunció que muy pronto sus enemigos tendrían que reconocer forzosamente la importancia del hallazgo. Tales despropósitos atrajeron sobre ella todas las sanciones existentes. En el colmo del orgullo, dijo que lamentaba formar parte de un homiguero tan imbécil. Al oír semejantes palabras, el fiscal pidió con voz estentórea una sentencia de muerte.

En esa circunstancia vino a salvarla el informe de un célebre alienista, que puso en claro su desequilibrio mental. Por las noches, en vez de dormir, la prisionera se ponía a darle vueltas a su miligramo, lo pulía cuidadosamente, y pasaba largas horas en una especie de éxtasis contemplativo.

Durante el día lo llevaba a cuestas, de un lado a otro, en el estrecho y oscuro calabozo. Se acercó al fin de su vida presa de terrible agitación. Tanto, que la enfermera de guardia pidió tres veces que se le cambiara de celda. La celda era cada vez más grande, pero la agitación de la hormiga aumentaba con el espacio disponible. No hizo el menor caso a las curiosas que iban a contemplar, en número creciente, el espectáculo de su desordenada agonía. Dejó de comer, se negó a recibir a los periodistas y guardó un mutismo absoluto.

Las autoridades superiores decidieron finalmente trasladar a un sanatorio a la hormiga enloquecida. Pero las decisiones oficiales adolecen siempre de lentitud.

Un día, al amanecer, la carcelera halló quieta la celda, y llena de un extraño resplandor. El prodigioso miligramo brillaba en el suelo, como un diamante inflamado de luz propia. Cerca de él yacía la hormiga heroica, patas arriba, consumida y transparente.

La noticia de su muerte y la virtud prodigiosa del miligramo se derramaron como inundación por todas las galerías. Caravanas de visitantes recorrían la celda, improvisada en capilla ardiente. Las hormigas se daban contra el suelo en su desesperación. De sus ojos, deslumbrados por la visión del miligramo, corrían lágrimas en tal abundancia que la organización de los funerales se vio complicada con un problema de drenaje. A falta de ofrendas florales suficientes, las hormigas saqueaban los depósitos para cubrir el cadáver de la víctima con pirámides de alimentos.

El hormiguero vivió días indescriptibles, mezcla de admiración, de orgullo y de dolor. Se organizaron exequias suntuosas, colmadas de bailes y banquetes. Rápidamente se inició la construcción de un santuario para el miligramo, y la hormiga incomprendida y asesinada obtuvo el honor de un mausoleo. Las autoridades fueron depuestas y acusadas de inepcia.

A duras penas logró funcionar poco después un consejo de ancianas que puso término a la prolongada etapa de orgiásticos honores. La vida volvió a su curso normal gracias a innumerables fusilamientos. Las ancianas más sagaces derivaron entonces la corriente de admiración devota que despertó el miligramo a una forma cada vez más rígida de religión oficial. Se nombraron guardianas y oficiantes. En torno al santuario fue surgiendo un círculo de grandes edificios, y una extensa burocracia comenzó a ocuparlos en rigurosa jerarquía. La capacidad del floreciente hormiguero se vio seriamente comprometida.

Lo peor de todo fue que el desorden, expulsado de la superficie, prosperaba con vida inquietante y subterránea. Aparentemente, el hormiguero vivía tranquilo y compacto, dedicado al trabajo y al culto, pese al gran número de funcionarias que se pasaban la vida desempeñando tareas cada vez menos estimables. Es imposible decir cuál hormiga albergó en su mente los primeros pensamientos funestos. Tal vez fueron muchas las que pensaron al mismo tiempo, cayendo en la tentación.

En todo caso, se trataba de hormigas ambiciosas y ofuscadas que consideraron, blasfemas, la humilde condición de la hormiga descubridora. Entrevieron la posibilidad de que todos los homenajes tributados a la gloriosa difunta les fueran discernidos a ellas en vida. Empezaron a tomar actitudes sospechosas. Divagadas y melancólicas, se extraviaban adrede del camino y volvían al hormiguero con las manos vacías. Contestaban a las inspectoras sin disimular su arrogancia; frecuentemente se hacían pasar por enfermas y anunciaban para muy pronto un hallazgo sensacional. Y las propias autoridades no podían evitar que una de aquellas lunáticas llegara el día menos pensado con un prodigio sobre sus débiles espaldas.

Las hormigas comprometidas obraban en secreto, y digámoslo así, por cuenta propia. De haber sido posible un interrogatorio general, las autoridades habrían llegado a la conclusión de que un cincuenta por ciento de las hormigas, en lugar de preocuparse por mezquinos cereales y frágiles hortalizas, tenía los ojos puestos en la incorruptible sustancia del miligramo.

Un día ocurrió lo que debía ocurrir. Como si se hubieran puesto de acuerdo, seis hormigas comunes y corrientes, que parecían de las más normales, llegaron al hormiguero con sendos objetos extraños que hicieron pasar, ante la general expectación, por miligramos de prodigio. Naturalmente, no obtuvieron los honores que esperaban, pero fueron exoneradas ese mismo día de todo servicio. En una ceremonia casi privada, se les otorgó el derecho a disfrutar una renta vitalicia.

Acerca de los seis miligramos, fue imposible decir nada en concreto. El recuerdo de la imprudencia anterior apartó a las autoridades de todo propósito judicial. Las ancianas se lavaron las manos en consejo, y dieron a la población una amplia libertad de juicio. Los supuestos miligramos se ofrecieron a la admiración pública en las vitrinas de un modesto recinto, y todas las hormigas opinaron según su leal saber y entender.

Esta debilidad por parte de las autoridades, sumada al silencio culpable de la crítica, precipitó la ruina del hormiguero. De allí en adelante cualquier hormiga, agotada por el trabajo o tentada por la pereza, podía reducir sus ambiciones de gloria a los límites de una pensión vitalicia, libre de obligaciones serviles. Y el hormiguero comenzó a llenarse de falsos miligramos.

En vano algunas hormigas viejas y sensatas recomendaron medidas precautorias, tales como el uso de balanzas y la confrontación minuciosa de cada nuevo miligramo con el modelo original. Nadie les hizo caso. Sus proposiciones, que ni siquiera fueron discutidas en asamblea, hallaron punto final en las palabras de una hormiga flaca y descolorida que proclamó abiertamente y en voz alta sus opiniones personales. Según la irreverente, el famoso miligramo original, por más prodigioso que fuera, no tenía por qué sentar un precedente de calidad. Lo prodigioso no debía ser impuesto en ningún caso como una condición forzosa a los nuevos miligramos encontrados.

El poco de circunspección que les quedaba a las hormigas desapareció en un momento. En adelante las autoridades fueron incapaces de reducir o tasar la cuota de objetos que el hormiguero podía recibir diariamente bajo el título de miligramos. Se negó cualquier derecho de veto, y ni siquiera lograron que cada hormiga cumpliera con sus obligaciones. Todas quisieron eludir su condición de trabajadoras, mediante la búsqueda de miligramos.

El depósito para esta clase de artículos llegó a ocupar las dos terceras partes del hormiguero, sin contar las colecciones particulares, algunas de ellas famosas por la valía de sus piezas. Respecto a los miligramos comunes y corrientes, descendió tanto su precio que en los días de mayor afluencia se podían obtener a cambio de una bicoca. No debe negarse que de cuando en cuando llegaban al hormiguero algunos ejemplares estimables. Pero corrían la suerte de las peores bagatelas. Legiones de aficionadas se dedicaron a exaltar el mérito de los miligramos de más baja calidad, fomentando así un general desconcierto.

En su desesperación de no hallar miligramos auténticos, muchas hormigas acarreaban verdaderas obscenidades e inmundicias. Galerías enteras fueron clausuradas por razones de salubridad. El ejemplo de una hormiga extravagante hallaba al día siguiente millares de imitadoras. A costa de grandes esfuerzos, y empleando todas sus reservas de sentido común, las ancianas del consejo seguían llamándose autoridades y hacían vagos ademanes de gobierno.

Las burócratas y las responsables del culto, no contentas con su holgada situación, abandonaron el templo y las oficinas para echarse a la busca de miligramos, tratando de aumentar gajes y honores. La policía dejó prácticamente de existir, y los motines y las revoluciones eran cotidianos. Bandas de asaltantes profesionales aguardaban en las cercanías del hormiguero para despojar a las afortunadas que volvían con un miligramo valioso. Coleccionistas resentidas denunciaban a sus rivales y promovían largos juicios, buscando la venganza del cateo y la expropiación. Las disputas dentro de las galerías degeneraban fácilmente en riñas, y éstas en asesinatos... El índice de mortalidad alcanzó una cifra pavorosa. Los nacimientos disminuyeron de manera alarmante, y las criaturas, faltas de atención adecuada, morían por centenares.

El santuario que custodiaba el miligramo verdadero se convirtió en tumba olvidada. Las hormigas, ocupadas en la discusión de los hallazgos más escandalosos, ni siquiera acudían a visitarlo. De vez en cuando, las devotas rezagadas llamaban la atención de las autoridades sobre su estado de ruina y de abandono. Lo más que se conseguía era un poco de limpieza. Media docena de irrespetuosas barrenderas daban unos cuantos escobazos, mientras decrépitas ancianas pronunciaban largos discursos y cubrían la tumba de la hormiga con deplorables ofrendas, hechas casi de puros desperdicios.

Sepultado entre nubarrones de desorden, el prodigioso miligramo brillaba en el olvido. Llegó incluso a circular la especie escandalosa de que había sido robado por manos sacrílegas. Una copia de mala calidad suplantaba al miligramo auténtico, que pertenecía ya a la colección de una hormiga criminal, enriquecida en el comercio de miligramos. Rumores sin fundamento, pero nadie se inquietaba ni se conmovía: nadie llevaba a cabo una investigación que les pusiera fin. Y las ancianas del consejo, cada día más débiles y achacosas, se cruzaban de brazos ante el desastre inminente.

El invierno se acercaba, y la amenaza de muerte detuvo el delirio de las imprevisoras hormigas. Ante la crisis alimenticia, las autoridades decidieron ofrecer en venta un gran lote de miligramos a una comunidad vecina, compuesta de acaudaladas hormigas. Todo lo que consiguieron fue deshacerse de unas cuantas piezas de verdadero mérito, por un puñado de hortalizas y cereales. Pero se les hizo una oferta de alimentos suficientes para todo el invierno, a cambio del miligramo original.

El hormiguero en bancarrota se aferró a su miligramo como a una tabla de salvación. Después de interminables conferencias y discusiones, cuando ya el hambre mermaba el número de supervivientes en beneficio de las hormigas ricas, éstas abrieron la puerta de su casa a las dueñas del prodigio. Contrajeron la obligación de alimentarlas hasta el fin de sus días, exentas de todo servicio. Al ocurrir la muerte de la última hormiga extranjera, el miligramo pasaría a ser propiedad de las compradoras.

¿Hay que decir lo que ocurrió poco después en el nuevo hormiguero? Las huéspedes difundieron allí el germen de su contagiosa idolatría.

105

Actualmente las hormigas afrontan una crisis universal. Olvidando sus costumbres, tradicionalmente prácticas y utilitarias, se entregan en todas partes a una desenfrenada búsqueda de miligramos. Comen fuera del hormiguero, y sólo almacenan sutiles y deslumbrantes objetos. Tal vez muy pronto desaparezcan como especie zoológica y solamente nos quedará, encerrado en dos o tres fábulas ineficaces, el recuerdo de sus antiguas virtudes.

Nabónides

El propósito original de Nabónides, según el profesor Rabsolom, era simplemente restaurar los tesoros arqueológicos de Babilonia. Había visto con tristeza las gastadas piedras de los santuarios, las borrosas estelas de los héroes y los sellos anulares que dejaban una impronta ilegible sobre los documentos imperiales. Emprendió sus restauraciones metódicamente y no sin una cierta parsimonia. Desde luego, se preocupó por la calidad de los materiales, eligiendo las piedras de grano más fino y cerrado.

Cuando se le ocurrió copiar de nuevo las ochocientas mil tabletas de que constaba la biblioteca babilónica, tuvo que fundar escuelas y talleres para escribas, grabadores y alfareros. Distrajo de sus puestos administrativos un buen número de empleados y funcionarios, desafiando las críticas de los jefes militares que pedían soldados y no escribas para apuntalar el derrumbe del imperio, trabajosamente erigido por los antepasados heroicos, frente al asalto envidioso de las ciudades vecinas. Pero Nabónides, que veía por encima de los siglos, comprendió que la historia era lo que importaba. Se entregó denodadamente a su tarea, mientras el suelo se le iba de los pies.

Lo más grave fue que una vez consumadas todas las restauraciones, Nabónides no pudo cesar ya en su labor de historiador. Volviendo definitivamente la espalda a los acontecimientos, sólo se dedicaba a relatarlos sobre piedra o sobre arcilla. Esta arcilla, inventada por él a base de marga y asfalto, ha resultado aún más indestructible que la piedra. (El profesor Rabsolom es quien ha establecido la fórmula de esa pasta cerámica. En 1913 encontró una serie de piezas enigmáticas, especie de cilindros o pequeñas columnas, que se hallaban revestidas con esa sustancia misteriosa. Adivinando la presencia de una escritura oculta, Rabsolom comprendió que la capa de asfalto no podía ser retirada sin destruir los caracteres. Ideó entonces el procedimiento siguiente: vació a cincel la piedra interior, y luego, por medio de un desincrustante que ataca los residuos depositados en las huellas de la escritura, obtuvo cilindros huecos. Por medio de sucesivos vaciados seccionales, logró hacer cilindros de yeso que presentaron la intacta escritura original. El profesor Rabsolom sostiene, atinadamente, que Nabónides procedió de este modo incomprensible previendo una invasión enemiga con el habitual acompañamiento de furia iconoclasta. Afortunadamente, no tuvo tiempo de ocultar así todas sus obras)*.

Como la muchedumbre de operarios era insuficiente, y la historia acontecía con rapidez, Nabónides se convirtió también en lingüística y en gramático: quiso simplificar el alfabeto, creando una especie de taquigrafía. De hecho, complicó la escritura plagándola de abreviaturas, omisiones y siglas que ofrecen toda una serie de nuevas dificultades al profesor Rabsolom. Pero así logró llegar Nabónides hasta sus propios días, con estusiasmada minuciosidad; alcanzó a escribir la historia de su historia y la somera clave de sus abreviaturas, pero con tal afán de síntesis, que este relato sería tan extenso como la *Epopeya de Gilgamesh,*[1], si se le compara con las últimas concisiones de Nabónides.

Hizo redactar también —Rabsolom dice que la redactó él mismo— una historia de sus hipotéticas hazañas mili-

* Los que quieren profundizar el tema, pueden leer con provecho la extensa monografía de Adolf von Pinches: *Nabonidzylinder,* Jena, 1912. [N. del A.]

[1] Gilgamesh: héroe épico asirio, célebre por su conquista de la inmortalidad en un poema llamado *Quien todo lo vio.* La epopeya fue transmitida por todo el Próximo Oriente durante los milenios que precedieron a la era actual.

tares, él, que abandonó su lujosa espada en el cuerpo del primer guerrero enemigo. En el fondo, tal historia era un pretexto más para esculpir tabletas, estelas y cilindros.

Pero los adversarios persas fraguaban desde lejos la perdición del soñador. Un día llegó a Babilonia el urgente mensaje de Creso[2], con quien Nabónides había concertado una alianza. El rey historiador mandó grabar en un cilindro el mensaje y el nombre del mensajero, la fecha y las condiciones del pacto. Pero no acudió al llamado de Creso. Pero después, los persas cayeron por sorpresa en la ciudad, dispersando el laborioso ejército de escribas. Los guerreros babilonios, descontentos, combatieron apenas, y el imperio cayó para no alzarse más de sus escombros.

La historia nos ha transmitido dos oscuras versiones acerca de la muerte de su fiel servidor. Una de ellas lo sacrifica a manos de un usurpador, en los días trágicos de la invasión persa. La otra nos dice que fue hecho prisionero y llevado a una isla lejana. Allí murió de tristeza, repasando en la memoria el repertorio de la grandeza babilonia. Esta última versión es la que se acomoda mejor a la índole apacible de Nabónides.

---

[2] Creso: rey de Lidia, último soberano de la dinastía de los mermnades. Parece que reinó desde 560 hasta 546 a. J. C.

El faro

Lo que hace Genaro es horrible. Se sirve de armas imprevistas. Nuestra situación se vuelve asquerosa.

Ayer, en la mesa, nos contó una historia de cornudo. Era en realidad graciosa, pero como si Amelia y yo pudiéramos reírnos, Genaro la estropeó con sus grandes carcajadas falsas. Decía: «¿Es que hay algo más chistoso?» Y se pasaba la mano por la frente, encogiendo los dedos, como buscándose algo. Volvía a reír: «¿Cómo se sentirá llevar cuernos?» No tomaba en cuenta para nada nuestra confusión.

Amelia estaba desesperada. Yo tenía ganas de insultar a Genaro, de decirle toda la verdad a gritos, de salirme corriendo y no volver nunca. Pero como siempre, algo me detenía. Amelia tal vez, aniquilada en la situación intolerable.

Hace ya algún tiempo que la actitud de Genero nos sorprendía. Se iba volviendo cada vez más tonto. Aceptaba explicaciones increíbles, daba lugar y tiempo para nuestras más descabelladas entrevistas. Hizo diez veces la comedia del viaje, pero siempre volvió el día previsto. Nos absteníamos inútilmente en su ausencia. De regreso, traía pequeños regalos y nos estrechaba de modo inmoral, besándonos casi en el cuello, teniéndonos excesivamente contra su pecho. Amelia llegó a desfallecer de repugnancia entre semejantes abrazos.

Al principio hacíamos las cosas con temor, creyendo correr un gran riesgo. La impresión de que Genaro iba a descubrirnos en cualquier momento, teñía nuestro amor de miedo y de vergüenza. La cosa era clara y limpia en este ʊentido. El drama flotaba realmente sobre nosotros, dando dignidad a la culpa. Genaro lo ha echado a perder. Ahora estamos envueltos en algo turbio, denso y pesado. Nos amamos con desgana, hastiados, como esposos. Hemos adquirido poco a poco la costumbre insípida de tolerar a Genaro. Su presencia es insoportable porque no nos estorba; más bien facilita la rutina y provoca el cansancio.

A veces, el mensajero que nos trae las provisiones dice que la supresión de este faro es un hecho. Nos alegramos Amelia y yo, en secreto. Genaro se aflige visiblemente: «¿A dónde iremos?», nos dice. «¡Somos aquí tan felices!» Suspira. Luego, buscando mis ojos: «Tú vendrás con nosotros, a dondequiera que vayamos.» Y se queda mirando el mar con melancolía.

In Memoriam

Un lujoso ejemplar en cuarto mayor con pastas de cuero repujado, tenue de olor a tinta recién impresa en fino papel de Holanda, cayó como una pesada lápida mortuoria sobre el pecho de la baronesa viuda de Büssenhausen.

La noble señora leyó entre lágrimas la dedicatoria de dos páginas, compuesta en reverentes unciales germánicas. Por consejo amistoso, ignoró los cincuenta capítulos de la *Historia comparada de las relaciones sexuales,* gloria imperecedera de su difunto marido, y puso en un estuche italiano aquel volumen explosivo.

Entre los libros científicos redactados sobre el tema, la obra del barón Büssenhausen se destaca de modo casi sensacional, y encuentra lectores entusiastas en un público cuya diversidad mueve a envidia hasta a los más austeros hombres de estudio. (La traducción abreviada en inglés ha sido un *best-seller.*)

Para los adalides del materialismo histórico, este libro no es más que una enconada refutación de Engels. Para los teólogos, el empeño de un luterano que dibuja en la arena del hastío círculos de esmerado infierno. Los Psicoanalistas, felices, bucean un mar de dos mil páginas de pretendida subconciencia. Sacan a la superficie datos nefandos: Büssenhausen es el pervertido que traduce en su lenguaje impersonal la historia de un alma atormentada por las más extraviadas pasiones. Allí están todos sus devaneos, ensueños libidinosos y culpas secretas, atribuidos siempre a inesperadas comunidades primitivas, a lo largo de un arduo y triunfante proceso de sublimación.

El reducido grupo de los antropólogos especialistas niega a Bussenhausen el nombre de colega. Pero los críticos literarios le otorgan su mejor fortuna. Todos están de acuerdo en colocar el libro dentro del género novelístico, y no escatiman el recuerdo de Marcel Proust y de James Joyce. Según ellos, el barón se entregó a la búsqueda infructuosa de las horas perdidas en la alcoba de su mujer. Centenares de páginas estancadas narran el ir y venir de un alma pura, débil y dubitativa, del ardiente Venusberg conyugal a la gélida cueva del cenobita libresco.

Sea de ello lo que fuere, y mientras viene la calma, los amigos más fieles han tendido alrededor del castillo Büssenhausen una afectuosa red protectora que intercepta los mensajes del exterior. En las desiertas habitaciones señoriales la baronesa sacrifica galas todavía no marchitas, pese a su edad otoñal. (Es hija de un célebre entomólogo, ya desaparecido, y de una poetisa que vive.)

Cualquier lector medianamente dotado puede extraer de los capítulos del libro más de una conclusión turbadora. Por ejemplo, la de que el matrimonio surgió en tiempos remotos como un castigo impuesto a las parejas que violaban el tabú de endogamia. Encarcelados en el *home,* los culpables sufrían las inclemencias de la intimidad absoluta, mientras sus prójimos se entregaban afuera a los irresponsables deleites del más libre amor.

Dando muestra de fina sagacidad, Büssenhausen define el matrimonio como un rasgo característico de la crueldad babilonia. Y su imaginación alcanza envidiable altura cuando nos describe la asamblea primitiva de Samarra[1] dichosamente prehamurábica. El rebaño vivía alegre y despreo-

---

[1] Samarra: ciudad de Iraq, en la orilla izquierda del Tigris, a unos 100 km al norte de Bagdad. La antigua ciudad, fundada por·los califas abasíes que residieron en ella desde 836 a 892, se extiende a unos 20 km. Las excavaciones llevadas a cabo entre 1912 y 1914 pusieron al descubierto, bajo el nivel árabe, una ocupación protohistórica que se remonta el IV milenio a. J. C.

cupado, distribuyéndose el generoso azar de la caza y la cosecha, arrastrando su tropel de hijos comunales. Pero a los que sucumbían al ansia prematura o ilegal de posesión, se les condenaba en buena especie a la saciedad atroz del manjar apetecido.

Derivar de allí modernas conclusiones psicológicas es tarea que el barón realiza, por así decirlo, con una mano en la cintura. El hombre pertenece a una especie animal llena de pretensiones ascéticas. Y el matrimonio, que en un principio fue castigo formidable, se volvió poco después un apasionado ejercicio de neuróticos, un increíble pasatiempo de masoquistas. El barón no se detiene aquí. Agrega que la civilización ha hecho muy bien en apretar los lazos conyugales. Felicita a todas las religiones que convirtieron el matrimonio en disciplina espiritual. Expuestas a un roce continuo, dos almas tienen la posibilidad de perfeccionarse hasta el máximo pulimento, o de reducirse a polvo.

«Científicamente considerado, el matrimonio es un molino prehistórico en el que dos piedras ruejas se muelen a sí mismas, interminablemente, hasta la muerte.» Son palabras textuales del autor. Le faltó añadir que a su tibia alma de creyente, porosa y caliza, la baronesa oponía una índole de cuarzo, una consistencia de valquiria. (A estas horas, en la soledad de su lecho, la viuda gira impávidas aristas radiales sobre el recuerdo impalpable del pulverizado barón.)

El libro de Büssenhausen podría ser fácilmente desdeñado si sólo contuviera los escrúpulos personales y las represiones de un marido chapado a la antigua, que nos abruma con sus dudas acerca de que podamos salvarnos sin tomar en cuenta el alma ajena, presta a sucumbir a nuestro lado, víctima del aburrimiento, de la hipocresía, de los odios menudos, de la melancolía perniciosa. Lo grave está en que el barón apoya con una masa de datos cada una de sus divagaciones. En la página más descabellada, cuando lo vemos caer vertiginosamente en un abismo de fantasía, nos sale de pronto con una prueba irrefutable entre sus manos de náufrago. Si al hablar de la prostitución hospitalaria Malinowski[2] le falla en las islas Marquesas, allí está para servirle Alf Theodorsen[2] desde su congelada aldea de lapones. No caben dudas al respecto. Si el barón se equivoca, debemos confesar que la ciencia se pone curiosamente de acuerdo para equivocarse con él. A la imaginación creadora y desbordante de un Lévy-Brühl[3], añade la perspicacia de un Frazer[4], la exactitud de un Wilhelm Eilers, y de vez en cuando, por fortuna, la suprema aridez de un Franz Boas[5].

Sin embargo, el rigor científico del barón decae con frecuencia y da lugar a ciertas páginas de gelatina. En más de un pasaje la lectura es sumamente penosa y el volumen adquiere un peso visceral, cuando la falsa paloma de Venus bate alas de murciélago, o cuando se oye el rumor de Píramo y Tisbe[6] que roen, cada uno por su lado, un espeso muro de confitura. Nada más justo que perdonar los desliz de un hombre que se pasó treinta años en el molino, con una mujer abrasiva, de quien lo separaban muchos grados en la escala de la dureza humana.

Desoyendo la algarabía escandalizada y festiva de los que juzgan la obra del barón como un nuevo resumen de historia universal, disfrazado y pornográfico, nosotros nos unimos al reducido grupo de los espíritus selectos que adivinan en la *Historia comparada de las relaciones sexuales* una extensa epopeya doméstica, consagrada a una mujer de

---

[2] Malinowski: antropólogo y etnólogo polaco (1884-1942). Realizó importantes estudios sobre la relación entre cultura y personalidad de los indígenas de las islas Trobiand.

[3] Lévy-Brühl: sociólogo y moralista francés (París, 1857). Centró la atención en los últimos años, en el problema de la moral, de la ciencia de las costumbres, y el análisis de las funciones mentales en las sociedades inferiores.

[4] Frazer: etnólogo y helenista inglés (Glasgow, 1854.)

[5] Franz Boas: etnólogo y antropólogo alemán, nacido en Winden (Westfalia) en 1858. Dirigió en 1883 la estación meteorológica de la tierra de Baffin, estudiando la primitiva difusión de los esquimales y añadiendo nuevos datos a los conocimientos geográficos acerca de aquel territorio y la bahía de Hudson.

[6] Píramo y Tisbe: Pareja de amantes protagonistas de una trágica historia de amor. El mito, recogido por Ovidio, ha inspirado diferentes obras poéticas, la *Fábula de Píramo y Tisbe* de Góngora es tal vez la más famosa.

temple troyano. La perfecta casada en cuyo honor se rindieron miles y miles de pensamientos subversivos, acorralados en una dedicatoria de dos páginas, compuesta en reverentes unciales germánicas: la baronesa Gunhild de Büssenhausen, *née* condesa de Magneburg-Hohenheim.

Baltasar Gérard
[1555-1582]

Ir a matar al príncipe de Orange[1]. Ir a matarlo y cobrar luego los veinticinco mil escudos que ofreció Felipe II por su cabeza. Ir a pie, solo, sin recursos, sin pistola, sin cuchillo, creando el género de los asesinos que piden a su víctima el dinero que hace falta para comprar el arma del crimen, tal fue la hazaña de Baltasar Gérard, un joven carpintero de Dole[2].

A través de una penosa persecución por los Países Bajos, muerto de hambre y de fatiga, padeciendo incontables demoras entre los ejércitos españoles y flamencos, logró abrirse paso hasta su víctima. En dudas, rodeos y retrocesos invirtió tres años y tuvo que soportar la vejación de que Gaspar Añastro le tomara la delantera.

El portugués Gaspar Añastro, comerciante en paños, no carecía de imaginación, sobre todo ante un señuelo de veinticinco mil escudos. Hombre precavido, eligió cuidadosamente el procedimiento y la fecha del crimen. Pero a última hora decidió poner un intermediario entre su cerebro y el arma: Juan Jáuregui[3] la empuñaría por él.

---

[1] Príncipe de Orange: Guillermo de Nassau llamado el Taciturno (Castillo de Dillenburg 1533-Delft, 1584), estatúder de Holanda, Zelanda, Utrech y Frisia, hijo mayor de Guillermo de Nassau el Viejo, conde de Dillenburg.

[2] Dole: ciudad de Francia (dep. Jura) junto al Doubb, al oeste del bosque de Chaux.

[3] Juan Jáuregui: Regicida belga (Bilbao 1562-Amberes 1582). Dependiente de Amiastro, banquero español establecido en Amberes, a instan-

Juan Jáuregui, jovenzuelo de veinte años, era tímido de por sí. Pero Añastro logró templar su alma hasta el heroísmo, mediante un sistema de sutiles coacciones cuya secreta clave se nos escapa. Tal vez lo abrumó con lecturas heroicas; tal vez lo proveyó de talismanes; tal vez lo llevó metódicamente hacia un consciente suicidio.

Lo único que sabemos con certeza es que el día señalado por su patrón (18 de marzo de 1582), y durante los festivales celebrados en Amberes para honrar al duque de Anjou en su cumpleaños, Jáuregui salió al paso de la comitiva y disparó sobre Guillermo de Orange a quemarropa. Pero el muy imbécil había cargado el cañón de la pistola hasta la punta. El arma estalló en su mano como una granada. Una esquirla de metal traspasó la mejilla del príncipe. Jáuregui cayó al suelo, entre el séquito, acribillado por violentas espadas.

Durante diecisiete días Gaspar Añastro esperó inútilmente la muerte del príncipe. Hábiles cirujanos lograron contener la hemorragia, taponando con sus dedos, día y noche, la arteria destrozada. Guillermo se salvó finalmente, y el portugués, que tenía en el bolsillo el testamento de Jáuregui a favor suyo, se llevó la más amarga desilusión de su vida. Maldijo la imprudencia de confiar en un joven inexperto.

Poco tiempo después la fortuna sonrió para Baltasar Gérard, que recibía de lejos las trágicas noticias. La supervivencia del príncipe, cuya vida parecía estarle reservada, le dio nuevas fuerzas para continuar sus planes, hasta entonces vagos y llenos de incertidumbre.

En mayo logró llegar hasta el príncipe, en calidad de emisario del ejército. Pero no llevaba consigo ni siquiera un alfiler. Difícilmente pudo calmar su desesperación mientras duraba la entrevista. En vano ensayó mentalmente sus manos enflaquecidas sobre el grueso cuello del flamenco. Sin embargo, logró obtener una nueva comisión. Guillermo lo

---

cias de su amo trató de asesinar a Guillermo, príncipe de Orange, al que hirió gravemente de un disparo. Cuando se disponía a rematarle con un cuchillo, los acompañantes del príncipe le dieron muerte con las espadas.

designó para volver al frente, a una ciudad situada en la frontera francesa. Pero Baltasar ya no pudo resignarse a un nuevo alejamiento.

Descorazonado y caviloso, vagó durante dos meses en los alrededores del palacio de Delft[4]. Vivió con la mayor miseria, casi de limosna, tratando de congraciarse lacayos y cocineros. Pero su aspecto extranjero y miserable a todos inspiraba desconfianza.

Un día lo vio el príncipe desde una de las ventanas del palacio y mandó un criado a reconvenirlo por su negligencia. Baltasar respondió que carecía de ropas para el viaje, y que sus zapatos estaban materialmente destrozados. Conmovido, Guillermo le envió doce coronas.

Radiante, Baltasar fue corriendo en busca de un par de magníficas pistolas, bajo el pretexto de que los caminos eran inseguros para un mensajero como él. Las cargó cuidadosamente y volvió al palacio. Diciendo que iba en busca de pasaporte, llegó hasta el príncipe y expresó su petición con voz hueca y conturbada. Se le dijo que esperara un poco en el patio. Invirtió el tiempo disponible planeando su fuga, mediante un rápido examen del edificio.

Poco después, cuando Guillermo de Orange en lo alto de la escalera despedía a un personaje arrodillado, Baltasar salió bruscamente de su escondite, y disparó con puntería excelente. El príncipe alcanzó a murmurar unas palabras y rodó por la alfombra, agonizante.

En medio de la confusión, Baltasar huyó a las caballerizas y los corrales del palacio, pero no pudo saltar, extenuado, la tapia de un huerto. Allí fue apresado por dos cocineros. Conducido a la portería, mantuvo un grave y digno continente. No se le hallaron encima más que unas estampas piadosas y un par de vejigas desinfladas con las que pretendía —mal nadador— cruzar los ríos y canales que le salieran al paso.

---

[4] Delft: ciudad de Holanda, en la provincia de Holanda meridional situada al S. E. de la Haya, a orillas del río Schie y en la frontera de Rotterdam-Amsterdam. El 10 de julio de 1584, en el Prinzenhof, Baltasar Gérard dio muerte de un tiro a Guillermo de Orange.

Naturalmente, nadie pensó en la dilación de un proceso. La multitud pedía ansiosa la muerte del regicida. Pero hubo que esperar tres días, en atención a los funerales del príncipe.

Baltasar Gérard fue ahorcado en la plaza pública de Delft, ante una multitud encrespada que él miró con desprecio desde el arrecife del cadalso. Sonrió ante la torpeza de un carpintero que hizo volar un martillo por los aires. Una mujer conmovida por el espectáculo estuvo a punto de ser linchada por la animosa muchedumbre.

Baltasar rezó sus oraciones con voz clara y distinta, convencido de su papel de héroe. Subió sin ayuda la escalerilla fatal.

Felipe II pagó puntualmente los veinticinco mil escudos de recompensa a la familia del asesino.

Baby H. P.

Señora ama de casa: convierta usted en fuerza motriz la vitalidad de sus niños. Ya tenemos a la venta el maravilloso Baby H. P., un aparato que está llamado a revolucionar la economía hogareña.

El Baby H. P. es una estructura de metal muy resistente y ligera que se adapta con perfección al delicado cuerpo infantil, mediante cómodos cinturones, pulseras, anillos y broches. Las ramificaciones de este esqueleto suplementario recogen cada uno de los movimientos del niño, haciéndolos converger en una botellita de Leyden[1] que puede colocarse en la espalda o en el pecho, según necesidad. Una aguja indicadora señala el momento en que la botella está llena. Entonces usted, señora, debe desprenderla y enchufarla en un depósito especial, para que se descargue automáticamente. Este depósito puede colocarse en cualquier rincón de la casa, y representa una preciosa alcancía de electricidad disponible en todo momento para fines de alumbrado y calefacción, así como para impulsar alguno de los innumerables artefactos que invaden ahora, y para siempre, los hogares.

De hoy en adelante usted verá con otros ojos el agobiante ajetreo de sus hijos. Y ni siquiera perderá la paciencia ante una rabieta convulsiva, pensando que es fuente generosa de energía. El pataleo de un niño de pecho durante

---

[1] Botella de Leyden: condensador eléctrico en forma de botella o vaso de vidrio.

121

las veinticuatro horas del día se transforma, gracias al Baby H. P., en unos útiles segundos de tromba licuadora, o en quince minutos de música radiofónica.

Las familias numerosas pueden satisfacer todas sus demandas de electricidad instalando un Baby H. P. en cada uno de sus vástagos, y hasta realizar un pequeño y lucrativo negocio, transmitiendo a los vecinos un poco de la energía sobrante. En los grandes edificios de departamentos pueden suplirse satisfactoriamente las fallas del servicio público, enlazando todos los depósitos familiares.

El Baby H. P. no causa ningún trastorno físico ni psíquico en los niños, porque no cohíbe ni trastorna sus movimientos. Por el contrario, algunos médicos opinan que contribuye al desarrollo armonioso de su cuerpo. Y por lo que toca a su espíritu, puede despertarse la ambición individual de las criaturas, otorgándoles pequeñas recompensas cuando sobrepasen sus récords habituales. Para este fin se recomiendan las golosinas azucaradas, que devuelven con creces su valor. Mientras más calorías se añadan a la dieta del niño, más kilovatios se economizan en el contador eléctrico.

Los niños deben tener puesto día y noche su lucrativo H. P. Es importante que lo lleven siempre a la escuela, para que no se pierdan las horas preciosas del recreo, de las que ellos vuelven con el acumulador rebosante de energía.

Los rumores acerca de que algunos niños mueren electrocutados por la corriente que ellos mismos generan son completamente irresponsables. Lo mismo debe decirse sobre el temor supersticioso de que las criaturas provistas de un Baby H. P. atraen rayos y centellas. Ningún accidente de esta naturaleza puede ocurrir, sobre todo si se siguen al pie de la letra las indicaciones contenidas en los folletos explicativos que se obsequian con cada aparato.

El Baby H. P. está disponible en las buenas tiendas en distintos tamaños, modelos y precios. Es un aparato moderno, durable y digno de confianza, y todas sus coyunturas son extensibles. Lleva la garantía de fabricación de la casa J. P. Mansfield & Sons, de Atlanta, III.

Anuncio

Dondequiera que la presencia de la mujer es difícil, one-rosa o perjudicial, ya sea en la alcoba del soltero, ya en el campo de concentración, el empleo de Plastisex© es suma-mente recomendable. El ejército y la marina, así como algunos directores de establecimientos penales y docentes, proporcionan a los reclutas el servicio de estas atractivas e higiénicas criaturas.

Ahora nos dirigimos a usted, dichoso o desafortunado en el amor. Le proponemos la mujer que ha soñado toda la vida: se maneja por medio de controles automáticos y está hecha de materiales sintéticos que reproducen a voluntad las características más superficiales o recónditas de la belleza femenina. Alta y delgada, menuda y redonda, rubia o morena, pelirroja o platinada: todas están en el mercado. Ponemos a su disposición un ejército de artistas plásticos, expertos en la escultura y el diseño, la pintura y el dibujo; hábiles artesanos del moldeado y el vaciado; técnicos en cibernética y electrónica, pueden desatar para usted una momia de la decimoctava dinastía o sacarle de la tina a la más rutilante estrella de cine, salpicada todavía por el agua y las sales del baño matinal.

Tenemos listas para ser enviadas todas las bellezas famosas del pasado y del presente, pero atendemos cualquier solicitud y fabricamos modelos especiales. Si los encantos de Madame Récamier[1] no le bastan para olvidar a la que

---

[1] Madame Récamier: dama francesa (Lyon 1777-París, 1849) célebre

lo dejó plantado, envíenos fotografías, documentos, medidas, prendas de vestir y descripciones entusiastas. Ella quedará a sus órdenes mediante un tablero de controles no más difícil de manejar que los botones de un televisor.

Si usted quiere y dispone de recursos suficientes, ella puede tener ojos de esmeralda, de turquesa o de azabache legítimo, labios de coral o de rubí, dientes de perlas y... etcétera, etcétera. Nuestras damas son totalmente indeformables e inarrugables, conservan la suavidad de su tez y la turgencia de sus líneas, dicen que sí en todos los idiomas vivos y muertos de la Tierra, cantan y se mueven al compás de los ritmos de moda. El rostro se presenta maquillado de acuerdo con los modelos originales, pero pueden hacerse toda clase de variantes, al gusto de cada quién, mediante los cosméticos apropiados.

La boca, las fosas nasales, la cara interna de los párpados y las demás regiones mucosas, están hechas con suavísima esponja, saturada con sustancias nutritivas y estuosas, de viscosidad variable y con diferentes índices afrodisiacos y vitamínicos, extraídas de algas marinas y plantas medicinales. «Hay leche y miel bajo tu lengua...», dice el *Cantar de los cantares*[2]. Usted puede emular los placeres de Salomón; haga una mixtura con leche de cabra y miel de avispas; llene con ella el depósito craneano de su Plastisex©, sazónela al oporto o al benedictine: sentirá que los ríos del paraíso fluyen a su boca en el largo beso alimenticio. (Hasta ahora, nos hemos reservado bajo patente el derecho de adaptar las glándulas mamarias como redomas de licor.)

Nuestras venus están garantizadas para un servicio perfecto de diez años —duración promedio de cualquier esposa—, salvo los casos en que sean sometidas a prácticas anormales de sadismo. Como en todas las de carne y hueso, su

---

por su belleza. Su casa en París era frecuentada por una corte de admiradores ricos y célebres. Se ha comparado con una Aspasia moderna a la que gustaba rodearse de hombres de talento.

[2] Canto cuarto, 4, 11: «Miel virgen destilan tus labios, / esposa, / miel y leche hay bajo tu lengua; / y el perfume de tus vestidos es como aroma de incienso /.»

peso es rigurosamente específico y el noventa por ciento corresponde al agua que circula por las finísimas burbujas de su cuerpo esponjado, caldeada por un sistema venoso de calefacción eléctrica. Así se obtiene la ilusión perfecta del desplazamiento de los músculos bajo la piel, y el equilibrio hidrostático de las masas carnosas durante el movimiento. Cuando el termostato se lleva a un grado de temperatura febril, una tenue exudación salina aflora a la superficie cutánea. El agua no sólo cumple funciones físicas de plasticidad variable, sino también claramente fisiológicas e higiénicas: haciéndola fluir intensamente de dentro hacia fuera, asegura la limpieza rápida y completa de las Plastisex©.

Un armazón de magnesio, irrompible hasta en los más apasionados abrazos y finamente diseñado a partir del esqueleto humano, asegura con propiedad todos los movimientos y posiciones de la Plastisex©. Con un poco de práctica, se puede bailar, luchar, hacer ejercicios gimnásticos o acrobáticos y producir en su cuerpo reacciones de acogida o rechazo más o menos enérgicas. (Aunque sumisas, las Plastisex© son sumamente vigorosas, ya que están equipadas con un motor eléctrico de medio caballo de fuerza.)

Por lo que se refiere a la cabellera y demás vegetaciones pilosas, hemos logrado producir una fibra de acetato que tiene las características del pelaje femenino, y que lo supera en belleza, textura y elasticidad. ¿Es usted aficionado a los placeres del olfato? Sintonice entonces la escala de los olores. Desde el tenue aroma axilar hecho a base de sándalo y almizcle, hasta las más recias emanaciones de la mujer asoleada y deportiva: ácido cáprico puro, o los más quintesenciados productos de la perfumería moderna. Embriáguese a su gusto.

La gama olfativa y gustativa se extiende naturalmente hasta el aliento, sí, porque nuestras venus respiran acompasada o agitadamente. Un regulador asegura la curva creciente de sus anhelos, desde el suspiro al gemido, mediante el ritmo controlable de sus canjes respiratorios. Automáticamente el corazón acompasa la fuerza y la velocidad de sus latidos...

En la rama de accesorios, la Plastisex© rivaliza en vestuario y ornato con el atuendo de las señoras más distinguidas. Desnuda, es sencillamente insuperable: púber o impúber, en la flor de la juventud o con todas las opulencias maduras del otoño, según el matiz peculiar de cada raza o mestizaje.

Para los amantes celosos, hemos superado el antiguo ideal del cinturón de castidad: un estuche de cuerpo entero que convierte a cada mujer en una fortaleza de acero inexpugnable. Y por lo que toca a la virginidad, cada Plastisex© va provista de un dispositivo que no puede violar más que usted mismo, el himen plástico que es un verdadero sello de garantía. Tan fiel al original, que al ser destruido se contrae sobre sí mismo y reproduce las excrecencias coralinas llamadas carúnculas mirtiformes.

Siguiendo la inflexible línea de ética comercial que nos hemos trazado, nos interesa denunciar los rumores, más o menos encubiertos, que algunos clientes neuróticos han hecho circular a propósito de nuestra venus. Se dice que hemos creado una mujer tan perfecta, que varios modelos, ardientemente amados por hombres solitarios, han quedado encinta y que otros sufren ciertos trastornos periódicos. Nada más falso. Aunque nuestro departamento de investigación trabaja a toda capacidad y con un presupuesto triplicado, no podemos jactarnos todavía de haber librado a la mujer de tan graves servidumbres. Desgraciadamente, no es fácil desmentir con la misma energía la noticia publicada por un periódico irresponsable, acerca de que un joven inexperto murió asfixiado en brazos de una mujer de plástico. Sin negar la posibilidad de semejante accidente, afirmamos que sólo puede ocurrir en virtud de un imperdonable descuido.

El aspecto moral de nuestra industria ha sido hasta ahora insuficientemente interpretado. Junto a los sociólogos que nos alaban por haber asestado un duro golpe a la prostitución (en Marsella hay una casa a la que ya no podemos llamar de mala nota porque funciona exclusivamente a base de Plastisex©), hay otros que nos acusan de fomentar maniáticos afectados de infantilismo. Semejantes timoratos olvidan adrede las cualidades de nuestro invento, que lejos de limitarse al goce físico, asegura dilectos placeres intelectuales y estéticos a cada uno de los afortunados usuarios.

Como era de esperarse, las sectas religiosas han reaccionado de modo muy diverso ante el problema. Las iglesias más conservadoras siguen apoyando implacablemente el hábito de la abstinencia, y a lo sumo se limitan a calificar como pecado venial el que se comete en objeto inanimado (!). Pero una secta disidente de los mormones ha celebrado ya numerosos matrimonios entre progresistas caballeros humanos y encantadoras muñecas de material sintético. Aunque reservamos nuestra opinión acerca de esas uniones ilícitas para el vulgo, nos es muy grato participar que hasta el día de hoy todas han sido generalmente felices. Sólo en casos aislados algún esposo ha solicitado modificaciones o perfeccionamientos de detalle en su mujer, sin que se registre una sola sustitución que equivalga a divorcio. Es también frecuente el caso de clientes antiguamente casados que nos solicitan copias fieles de sus esposas (generalmente con algunos retoques), a fin de servirse de ellas sin traicionarlas en ocasiones de enfermedades graves o pasajeras, y durante ausencias prolongadas e involuntarias, que incluyen el abandono y la muerte.

Como objeto de goce, la Plastisex© debe ser empleada de modo mesurado y prudente, tal como la sabiduría popular aconseja respecto a nuestra compañera tradicional. Normalmente utilizado, su débito asegura la salud y el bienestar del hombre, cualquiera que sea su edad y complexión. Y por lo que se refiere a los gastos de inversión y mantenimiento, la Plastisex© se paga ella sola. Consume tanta electricidad como un refrigerador, se puede enchufar en cualquier contacto doméstico, y equipada con sus más valiosos aditamentos, pronto resulta mucho más económica que una esposa común y corriente. Es inerte o activa, locuaz o silenciosa a voluntad, y se puede guardar en el closet*.

Lejos de representar una amenaza para la sociedad, la ve-

---

* Desde 1968, nuestra filial Plastishiro Sexobe está trabajando un modelo económico a base de pilas y transistores. [N. del A.]

nus Plastisex© resulta una aliada poderosa en la lucha pro restauración de los valores humanos. En vez de disminuirla, engrandece y dignifica a la mujer, arrebatándole su papel de instrumento placentero, de sexófora, para emplear un término clásico. En lugar de mercancía deprimente, costosa o insalubre, nuestras prójimas se convertirán en seres capaces de desarrollar sus posibilidades creadoras hasta un alto grado de perfección.

Al popularizarse el uso de la Plastisex©, asistiremos a la eclosión del genio femenino, tan largamente esperada. Y las mujeres, libres ya de sus obligaciones tradicionalmente eróticas, instalarán para siempre en su belleza transitoria el puro reino del espíritu.

De balística

Ne saxa ex catapultis latericium discuterent.
CAESAR, *De bello civili, lib.* 2.

Catapultae turribus impositae et quae spicula mitterent, et quae saxa.

APPIANUS, *Ibericae.*

Esas que allí se ven, vagas cicatrices entre los campos de labor, son las ruinas del campamento[1] de Nobílior[2]. Más allá se alzan los emplazamientos militares de Castillejo, de Renieblas y de Peña Redonda. De la remota ciudad[3] sólo ha quedado una colina cargada de silencio...

—¡Por favor! No olvide usted que yo he venido desde Minnesota. Déjese ya de frases y dígame qué, cómo y a cuál distancia disparaban las balistas.

---

[1] Sin duda este comienzo imita la famosa canción de Rodrigo Caro a las ruinas de Itálica: «Estos, Fabio ay dolor! que ves ahora / campos de soledad, mustio collado / fueron un tiempo Itálica famosa.»

[2] Nobílior: (Quinto Fulvio), cónsul romano (siglo II a. J. C.). Tras tomar posesión de su dignidad (en 153) se trasladó a Hispania con su ejército. Atacó y destruyó Segeda, pero fracasó en el asedio a Numancia.

[3] Se refiere a la ciudad de Numancia, ciudad de los arévacos y, posteriormente de los pelendones, que se hallaba situada en el cerro de Garray, cercano a Soria. Por su privilegiada situación se convirtió en una de las ciudades principales de la tribu arévaca y un centro de la resistencia celtíbera a la conquista romana. Nobílior estableció sus campamentos en los cerros próximos a ella.

—Pide usted un imposible.

—Pero usted es reconocido como una autoridad universal en antiguas máquinas de guerra. Mi profesor Burns, de Minnesota, no vaciló en darme su nombre y su dirección como un norte seguro.

—Dé usted al profesor, a quien estimo mucho por carta, las gracias de mi parte y un sincero pésame por su optimismo. A propósito, ¿qué ha pasado con sus experimentos en materia de balística romana?

—Un completo fracaso. Ante un público numeroso, el profesor Burns prometió volarse la barda del estadio de Minnesota, y le falló el jonrón[4]. Es la quinta vez que le hacen quedar mal sus catapultas, y se halla bastante decaído. Espera que yo le lleve algunos datos que lo pongan en el buen camino, pero usted...

—Dígale que no se desanime. El malogrado Ottokar von Soden[5] consumió los mejores años de su vida frente al rompecabezas de una *ctesibia machina*[6] que funcionaba a base de aire comprimido. Y Gatteloni, que sabía más que el profesor Burns, y probablemente que yo, fracasó en 1915 con una máquina estupenda, basada en las descripciones de Ammiano Marcelino[7]. Unos cuatro siglos antes, otro mecánico florentino, llamado Leornardo da Vinci, perdió el tiempo, construyendo unas ballestas enormes, según las extraviadas indicaciones del célebre amateur Marco Vitruvio Polión[8].

---

[4] Jonrón: anglicismo (de *home* y *run).*

[5] Ottokar von Soden: Otakar. Probablemente se refiere a Otakar II (1230-Dürnkrut, 1278), rey de Babilonia y duque de Austria en 1251. Se entregó a la tarea de reorganizar sus estados mediante el desarrollo de la burguesía, la creación de ciudades y la reducción de los señores saqueadores. Fue proscrito del Imperio, vencido y muerto en Dürnkrut.

[6] *Ctesibia machina:* especie de fusil de aire comprimido inventado por Ctesibios, sabio griego (siglos III a. J. C.) que nació en Alejandría y vivió a fines del reinado de Tolomeo Filadelfo.

[7] Ammiano Marcelino: Historiador romano (300-400 d. J. C.) de origen griego nacido en Antioquía (Siria). Fue soldado en tiempo de Juliano, combatió en la Mesopotamia; a los 50 años se estableció en Roma y se dedicó a escribir la continuación de los *Anales* de Tácito que comprendía 31 libros.

[8] Marco Vitrubio Polión: arquitecto e ingeniero romano que vivió en

—Me extraña y ofende, en cuanto devoto de la mecánica, el lenguaje que usted emplea para referirse a Vitruvio, uno de los genios primordiales de nuestra ciencia.

—Ignoro la opinión que usted y su profesor Burns tengan de este hombre nocivo Para mí, Vitruvio es un simple aficionado. Lea usted por favor sus *libri decem* con algún detenimiento: a cada paso se dará cuenta de que Vitruvio está hablando de cosas que no entiende. Lo que hace es transmitirnos valiosísimos textos griegos que van de Eneas el Táctico[9] a Herón de Alejandría[10], sin orden ni concierto.

—Es la primera vez que oigo tal desacato. ¿En quién puede uno entonces depositar sus esperanzas? ¿Acaso en Sexto Julio Frontino?[11]

—Lea usted su *Stratagematon* con la mayor cautela. A primera vista se tiene la impresión de haber dado en el clavo. Pero el desencanto no tarda en abrirse paso a través de sus intransitables descripciones y errores. Frontino sabía mucho de acueductos, atarjeas y cloacas, pero en materia de balística es incapaz de calcular una parábola sencilla.

—No olvide usted, por favor, que a mi regreso debo preparar una tesis doctoral de doscientas cuartillas sobre balística romana, y redactar algunas conferencias. Yo no quiero sufrir una vergüenza como la de mi maestro en el estadio de Minnesota. Cíteme usted, por favor, algunas autoridades antiguas sobre el tema. El profesor Burns ha llenado

---

el primer siglo de la era cristiana. Se le utilizó como ingeniero en la construcción y reparación de máquinas de guerra. Compuso una obra titulada *De Architectura*, en 10 libros *(Los diez libros de Arquitectura de Vitrubio Polón)* (Ed. castellana de 1569), de los cuales el décimo trata de la maquinaria.

[9] Eneas el Táctico: Escritor militar griego de principios del siglo IV a. J. C. Se ha conservado un extracto de sus *Memorias sobre la estrategia*.

[10] Herón de Alejandría: matemático griego de fines del siglo II a. J. C. Fue discípulo de Ctesibios y autor de muchos trabajos geométricos y físicos que se conocen sólo por extractos. La mecánica aplicada representa de una manera notable la disertación de Herón de Alejandría sobre las fortificaciones.

[11] Sexto Julio Frontino: Funcionario romano (c. 30 d. J. C.-c. 103). Hábil general, cónsul en 74, gobernador de Britania (78) e ingeniero militar y civil de primer orden. Escribió, entre otros, un tratado de arte militar *(Stratagemata.)*

mi mente de confusión con sus relatos, llenos de repeticiones y de salidas por la tangente.

—Permítame felicitar desde aquí al profesor Burns por su gran fidelidad. Veo que no ha hecho otra cosa sino transmitir a usted la visión caótica que de la balística antigua nos dan hombres como Marcelino[12] Arriano[13] Diodoro[14], Josefo[15], Polibio[16] Vegecio[17] y Procopio[18]. Le voy a hablar claro. No poseemos ni un dibujo contemporáneo, ni un solo dato concreto. Las pseudobalistas de Justo Lipsio y de Andrea Palladio son puras invenciones sobre papel, carentes en absoluto de realidad.

---

[12] Marcelino: Probablemente se trata de un general biazantino (Sicilia, 468) que defendió Sicilia de los vándalos, pero tuvo que abandonarlo y se estableció en Dalmacia, donde creó un principado independiente.

[13] Arriano: historiador y filósofo griego (n. en Nicomedia, Bitinia, c. 105. d. J. C.). Fue nombrado ciudadano romano en premio a sus servicios militares y obtuvo de Adriano el gobierno de Capadocia. Redactó un *Plan de movilización contra los alanos*. Escribió una *Anábasis* o *Expedición de Alejandro* y también un libro de viajes sobre la India.

[14] Diodoro: griego de origen y natural de Sacilia. Nacido a principios del siglo I a. J. C. Escribió una gran enciclopedia histórica en 40 volúmenes titulada *Biblioteca histórica* o *Biblioteca de historias* (año 30 a. J. C.) en la que logró reunir cuantos conocimientos históricos podían alcanzarse en su tiempo.

[15] Josefo (Flavio): historiador judío (Jerusalén 37 d. J. C. c. 100.) Descendiente de una antigua familia de sacerdotes, perteneció al partido de los fariseos. Intervino en el sitio de Jerusalén, formando parte de las filas romanas. Posteriormente se instaló en Roma. Escribió en griego, entre otras obras, *La guerra judía* y *Antigüedades judaicas*.

[16] Polibio: historiador griego (Megalópolis c. 200-c. 125/120 a. J. C.). Hizo numerosos viajes a Hispania, Galia y África, acompañando a Escipión Emiliano en sus campañas, especialmente en los sitios de Cartago y Numancia. Su obra es de gran interés para la historiografía; el libro XXIV de sus *Historias* está dedicado a las guerras celtíberas y lusitanas de las que fue en parte testigo.

[17] Vegecio (Flacio Renato): Escritor militar romano (n. 400 d. J. C.). Con objeto de realzar la fuerza defensiva del Imperio romano escribió un compendio de los antiguos historiadores y escritores militares: *Epitoma rei militaris* o *Rei militaris instituta*.

[18] Procopio: historiador bizantino (Cesarea, Palestina fines siglos V Constantinopla c. 562). Es el principal historiador de la época de Justiniano. Su *Libro de las guerras* (545-554) es notable por su exactitud e imparcialidad.

—Entonces ¿qué hacer? Piense usted, se lo ruego, en las doscientas cuartillas de mi tesis. En las dos mil palabras de cada conferencia en Minnesota.

—Le voy a contar una anécdota que lo pondrá en vías de comprensión.

—Empiece usted.

—Se refiere a la toma de Segida[19]. Usted recuerda naturalmente que esta ciudad fue ocupada por el cónsul Nobílior en 153.

—¿Antes de Cristo?

—Me parece innecesario, más bien dicho, me parecía innecesario hacer a usted semejantes precisiones...

—Usted perdone.

—Bueno. Nobílior tomó Segida en 153. Lo que usted ignora con toda seguridad es que la pérdida de la ciudad, punto clave en la marcha sobre Numancia, se debió a una balista.

—¡Qué respiro! Una balista eficaz.

—Permítame. Sólo en sentido figurado.

—Concluya usted su anécdota. Estoy seguro de que volveré a Minnesota sin poder decir nada positivo.

—El cónsul Nobílior, que era un hombre espectacular, quiso abrir el ataque con un gran disparo de catapulta...

—Dispénseme, pero estamos hablando de balistas...

—Y usted, y su famoso profesor de Minnesota, ¿pueden decirme acaso cuál es la diferencia que hay entre una balista y una catapulta? ¿Y entre una fundíbula[20] una doríbola[21] y una palintona?[22] En materia de máquinas anti-

---

[19] Segida Segeda: Ciudad de la España romana, en la Celtiberia, que Estrabón cree habitada por los arévacos, pero que más seguramente correspondía a los pelendones, en la actual prov. de Soria. Corresponde probablemente al actual Canales, cerca del convento de la Valvanera, entre Burgos y Soria. Figuró entre las guerras ibéricas, dando ocasión a la lucha entre Roma y Numancia.

[20] Fundíbula: máquina de madera que servía en la antigüedad para disparar piedras de gran peso.

[21] Doríbola-doríbolo: denominación genérica con la cual se comprendían antiguamente todas las máquinas balísticas que lanzaban dardos o flechas.

[22] Palintona: calificativo griego dado a la balista o catapulta y, en general, a toda máquina que lanzaba dardos o piedras.

guas, ya lo ha dicho don José Almirante[23], ni la ortografía es fija ni la explicación satisfactoria. Aquí tiene usted estos títulos para un mismo aparato: petróbola, litóbola, pedrera o petraria. Y también puede llamar usted onagro[24], monancona[25], políbola[26], acrobalista[27], quirobalista[28], toxobalista[29] y neurobalista[30] a cualquier máquina que funcione por tensión, torsión o contrapesación. Y como todos estos aparatos eran desde el siglo IV a. C. generalmente locomóviles, les corresponde con justicia el título general de carrobalistas.

—...

—Lo cierto es que el secreto que animaba a estos iguanodontes de la guerra se ha perdido. Nadie sabe cómo se templaba la madera, cómo se adobaban las cuerdas de esparto, de crin o de tripa, cómo funcionaba el sistema de contrapesos.

—Siga usted con su anécdota, antes de que yo decida cam-

---

[23] José Almirante: General español e ilustre escritor de asuntos militares (Valladolid 1823-Madrid 1894). A una extensa cultura científica y literaria unía las galas de un lenguaje correcto y castizo, y de un estilo sencillo, muchas veces pintoresco y siempre ameno. Sus obras, algunas ya clásicas, como el *Diccionario militar* y la *Guía del oficial en campaña,* pasarán a la posteridad como modelo de doctrina, erudición y bien decir.

[24] Onagro: máquina antigua de guerra, parecida a la ballesta, pero con el extremo de la palanca donde se ponía la piedra arrojadiza bastante cóncavo y de figura parecida a la de una oreja de asno.

[25] Monancona: nombre genérico dado a las antiguas máquinas de tiro que sólo tenían un brazo, terminado en forma de cucharón en donde se colocaba la piedra o proyectil de hierro o plomo.

[26] Políbola: máquina antigua de guerra que lanzaba a un tiempo muchos proyectiles.

[27] Acrobalista: soldados de caballería ligera en el ejército griego que arrojaban flechas con la mano o con un arco. Acostumbraban iniciar los combates y entretenían la infantería enemiga con frecuentes escaramuzas.

[28] Quirobalista: balista de mano, llamada así por oposición a la de ruedas.

[29] Toxobalista: Acrobalista; ballesta montada sobre un pie.

[30] Neurobalista: Es la parte de la artillería que corresponde al estudio de las máquinas de tiro, anteriores a la invención de la pólvora. Algunos restringen su significado a aquellas en que se aprovecha la fuerza elástica producida por la torsión de los cables hechos de nervios, pero otros opinan que hay que extender su aplicación a todas las armas y máquinas antiguas que tiraban proyectiles por medio de cuerdas.

biar el asunto de mi tesis doctoral, y expulse a mis imaginarios oyentes de la sala de conferencias.

—Nobílior, que era un hombre espectacular, quiso abrir el ataque con un gran disparo de balista...

—Veo que tiene usted sus anécdotas perfectamente memorizadas. La repetición ha sido literal.

—A usted, en cambio, le falla la memoria. Acabo de hacer una variante significativa.

—¿De veras?

—He dicho balista en vez de catapulta, para evitar una nueva interrupción por parte de usted. Veo que el tiro me ha salido por la culata.

—Lo que yo quiero que salga, por donde sea, es el disparo de Nobílior.

—No saldrá.

—Qué, ¿no acabará usted de contarme su anécdota?

—Sí, pero no hay disparo. Los habitantes de Segida se rindieron en el preciso instante en que la balista, plegadas todas sus palancas, retorcidas las cuerdas elásticas y colmadas las plataformas de contrapeso, se aprestaba a lanzarles un bloque de granito. Hicieron señales desde las murallas, enviaron mensajeros y pactaron. Se les perdonó la vida, pero a condición de que evacuaran la ciudad para que Nobílior se diera el imperial capricho de incendiarla.

—¿Y la balista?

—Se estropeó por completo. Todos se olvidaron de ella, incluso los artilleros, ante el regocijo de tan módica victoria. Mientras los habitantes de Segida firmaban su derrota, las cuerdas se rompieron, estallaron los arcos de madera, y el brazo poderoso que debía lanzar la descomunal pedrada, quedó en tierra exánime, desgajado, soltando el canto de su puño...

—¿Cómo así?

—¿Pero no sabe usted acaso que una catapulta que no dispara inmediatamente se echa a perder? Si no le enseñó esto el profesor Burns, permítame que dude mucho de su competencia. Pero volvamos a Segida. Nobílior recibió además mil ochocientas libras de plata como rescate de la gente principal, que inmediatamente hizo moneda para conjurar el inminente motín de los soldados sin paga. Se conservan algunas de esas monedas. Mañana podrá usted verlas en el Museo de Numancia.

—¿No podría usted conseguirme una de ellas como recuerdo?

—No me haga reír. El único particular que posee monedas de la época es el profesor Adolfo Schulten[31] que se pasó la vida escarbando en los escombros de Numancia, levantando planos, adivinando bajo los surcos del sembrado la huella de los emplazamientos militares. Lo que sí puedo conseguirle es una tarjeta postal con el reverso de la susodicha moneda.

—Sigamos adelante.

—Nobílior supo sacarle mucho partido a la toma de Segida, y las monedas que acuñó llevan por un lado su perfil, y por el otro la silueta de una balista y esta palabra: Segisa.

—¿Y por qué Segisa y no Segida?

—Averígüelo usted. Una errata del que hizo los cuños. Esas monedas sonaron muchísimo en Roma. Y todavía más, la fama de la balista. Los talleres del imperio no se daban abasto para satisfacer las demandas de los jefes militares, que pedían catapultas por docenas, y cada vez más grandes. Y mientras más complicadas, mejor.

—Pero dígame algo positivo. Según usted, ¿a qué se debe la diferencia de los nombres si se alude siempre al mismo aparato?

—Tal vez se trata de diferencias de tamaño, tal vez se debe al tipo de proyectiles que los artilleros tenían a la mano. Vea usted, las litóbolas o petrarias, como su nombre lo indica, bueno, pues arrojaban piedras. Piedras de todos tamaños. Los comentaristas van desde las veinte o treinta libras hasta los ocho o doce quintales. Las políbolas, parece que también arrojaban piedras, pero en forma de metralla, esto es, nubes de guijarros. Las doríbolas enviaban, etimológicamente, dardos enormes, pero también haces de fle-

---

[31] Adolfo Schulten: historiador y arqúologo alemán (Elberfeld 1870-Erlangen 1960.) Realizó investigaciones en Italia, norte África y, sobre todo, en España. Entre sus trabajos cabe destacar la excavación de Numancia (1905-1912) por las polémicas que llegó a ocasionar.

chas. Y las neurobalistas, pues vaya usted a saberlo... barriles con mixtos incendiarios, haces de leña ardiendo, cadáveres y grandes sacos de inmundicias para hacer más grueso el aire inficionado que respiraban los infelices sitiados. En fin, yo sé de una balista que arrojaba grajos.

—¿Grajos?

—Déjeme contarle otra anécdota.

—Veo que me he equivocado de arqueólogo y de guía.

—Por favor, es muy bonita. Casi poética. Seré breve. Se lo prometo.

—Cuente usted y vámonos. El sol cae ya sobre Numancia.

—Un cuerpo de artillería abandonó una noche la balista más grande de su legión, sobre una eminencia del terreno que resguardaba la aldehuela de Bures, en la ruta de Centóbriga. Como usted comprende, me remonto otra vez al siglo II a. C., pero sin salirme de la región. A la mañana siguiente, los habitantes de Bures, un centenar de pastores inocentes, se encontraron frente a aquella amenaza que había brotado del suelo. No sabían nada de catapultas, pero husmearon el peligro. Se encerraron a piedra y cal en sus cabañas, durante tres días. Como no podían seguir así indefinidamente, echaron suertes para saber quién iría en la mañana siguiente a inspeccionar el misterioso armatoste. Tocó la suerte a un jovenzuelo tímido y apocado, que se dio por condenado a muerte. La población pasó la noche despidiéndolo y dándole fortaleza, pero el muchacho temblaba de miedo. Antes de salir el sol en la mañana invernal, la balista debió de tener un tenebroso aspecto de patíbulo.

—¿Volvió con vida el jovenzuelo?

—No. Cayó muerto al pie de la balista, bajo una descarga de grajos que habían pernoctado sobre la máquina de guerra y que se fueron volando asustados...

—¡Santo Dios! Una balista que rinde la ciudad de Segida sin arrojar un solo disparo. Otra que mata un pastorcillo con un puñado de volátiles. ¿Esto es lo que yo voy a contar en Minnesota?

—Diga usted que las catapultas se empleaban para la guerra de nervios. Añada que todo el Imperio Romano no era más que eso, una enorme máquina de guerra complicada y estorbosa, llena de palancas antagónicas, que se quitaban fuerza unas a otras. Discúlpese usted diciendo que fue un arma de la decadencia.

—¿Tendré éxito con eso?

—Describa usted con amplitud el fatal apogeo de las balistas. Sea pintoresco. Cuente que el oficio de magíster llegó a ser en las ciudades romanas sumamente peligroso. Los chicos de la escuela infligían a sus maestros verdaderas lapidaciones, atacándolos con aparatos de bolsillo que eran una derivación infantil de las manubalistas guerreras.

—¿Tendré éxito con eso?

—Sea imponente. Hable con detalle acerca de la formación de un tren legionario. Deténgase a considerar sus dos mil carruajes y bestias de carga, las municiones, utensilios de fortificación y de asedio. Hable de los innumerables mozos y esclavos; critique el auge de comerciantes y cantineros, haga hincapié en las prostitutas. La corrupción moral, el peculado y el venéreo ofrecerán a usted sus generosos temas. Describa también el gran horno portátil de piedra hasta las ruedas, debido al talento del ingeniero Cayo Licinio Lícito, que iba cociendo el pan por el camino, a razón de mil piezas por kilómetro.

—¡Qué portento!

—Tome usted en cuenta que el horno pesaba dieciocho toneladas, y que no hacía más de tres kilómetros diarios...

—¡Qué atrocidad!

—Sea pertinaz. Hable sin cesar de las grandes concentraciones de balistas. Sea generoso en las cifras, yo le proporciono las fuentes. Diga que en tiempos de Demetrio Poliorcetes llegaron a acumularse ochocientas máquinas contra una sola ciudad. El ejército romano, incapaz de evolucionar, sufría retardos desastrosos, copado entre el denso maderamen de sus agobiantes máquinas guerreras.

—¿Tendré éxito con eso?

—Concluya usted diciendo que la balista era un arma psicológica, una idea de fuerza, una metáfora aplastante.

—¿Tendré éxito con eso?

(En este momento, el arqueólogo vio en el suelo una piedra que le pareció muy apropiada para poner punto final a su enseñanza. Era un guijarro basáltico, grueso y redondeado, de unos veinte kilos de peso. Desenterrándolo con grandes muestras de entusiasmo, lo puso en brazos del alumno.)

—¡Tiene usted suerte! Quería llevarse una moneda de recuerdo, y he aquí lo que el destino le ofrece.

—¿Pero qué es esto?

—Un valioso proyectil de la época romana, disparado sin duda alguna por una de esas máquinas que tanto le preocupan.

(El estudiante recibió el regalo, un tanto confuso.)

—¿Pero... está usted seguro?

—Llévese esta piedra a Minnesota, y póngala sobre su mesa de conferenciante. Causará una fuerte impresión en el auditorio.

—¿Usted cree?

—Yo mismo le obsequiaré una documentación en regla, para que las autoridades le permitan sacarla de España.

—¿Pero está usted seguro de que esta piedra es un proyectil romano?

(La voz del arqueólogo tuvo un exasperado acento sombrío.)

—Tan seguro estoy de que lo es, que si usted, en vez de venir ahora, anticipa unos dos mil años su viaje a Numancia, esta piedra, disparada por uno de los artilleros de Escipión, le habría aplastado la cabeza.

(Ante aquella respuesta contundente, el estudiante de Minnesota se quedó pensativo, y estrechó afectuosamente la piedra contra su pecho. Soltando por un momento uno de sus brazos, se pasó la mano por la frente, como queriendo borrar, de una vez por todas, el fantasma de la balística romana.)

El sol se había puesto ya sobre el árido paisaje numantino. En el cauce seco del Merdancho brillaba una nostalgia de río. Los serafines del Ángelus volaban a lo lejos, sobre invisibles aldeas. Y maestro y discípulo se quedaron inmóviles, eternizados por un instantáneo recogimiento, como dos bloques erráticos bajo el crepúsculo grisáceo.

Una mujer amaestrada

...et nunc manet in te...

Hoy me detuve a contemplar este curioso espectáculo: en una plaza de las afueras, un saltimbanqui polvoriento exhibía una mujer amaestrada. Aunque la función se daba a ras del suelo y en plena calle, el hombre concedía la mayor importancia al círculo de tiza previamente trazado, según él, con permiso de las autoridades. Una y otra vez hizo retroceder a los espectadores que rebasaban los límites de esa pista improvisada. La cadena que iba de su mano izquierda al cuello de la mujer, no pasaba de ser un símbolo, ya que el menor esfuerzo habría bastado para romperla. Mucho más impresionante resultaba el látigo de seda floja que el saltimbanqui sacudía por los aires, orgulloso, pero sin lograr un chasquido.

Un pequeño monstruo de edad indefinida completaba el elenco. Golpeando su tamboril daba fondo musical a los actos de la mujer, que se reducían a caminar en posición erecta, a salvar algunos obstáculos de papel y a resolver cuestiones de aritmética elemental. Cada vez que una moneda rodaba por el suelo, había un breve paréntesis teatral a cargo del público. «¡Besos!», ordenaba el saltimbanqui. «No. A ése no. Al caballero que arrojó la moneda.» La mujer no acertaba, y una media docena de individuos se dejaban besar, con los pelos de punta, entre risas y aplausos. Un guardia se acercó diciendo que aquello estaba prohibido. El domador le tendió un papel mugriento con sellos oficiales, y el policía se fue malhumorado, encogiéndose de hombros.

A decir verdad, las gracias de la mujer no eran cosa del otro mundo. Pero acusaban una paciencia infinita, francamente anormal, por parte del hombre. Y el público sabe agradecer siempre tales esfuerzos. Paga por ver una pulga vestida; y no tanto por la belleza del traje, sino por el trabajo que ha costado ponérselo. Yo mismo he quedado largo rato viendo con admiración a un inválido que hacía con los pies lo que muy pocos podrían hacer con las manos.

Guiado por un ciego impulso de solidaridad, desatendí a la mujer y puse toda mi atención en el hombre. No cabe duda de que el tipo sufría. Mientras más difíciles eran las suertes, más trabajo le costaba disimular y reír. Cada vez que ella cometía una torpeza, el hombre temblaba angustiado. Yo comprendí que la mujer no le era del todo indiferente, y que se había encariñado con ella, tal vez en los años de su tedioso aprendizaje. Entre ambos existía una relación, íntima y degradante, que iba más allá del domador y la fiera. Quien profundice en ella, llegará indudablemente a una conclusión obscena.

El público, inocente por naturaleza, no se da cuenta de nada y pierde los pormenores que saltan a la vista del observador destacado. Admira al autor de un prodigio, pero no le importan sus dolores de cabeza ni los detalles monstruosos que puede haber en su vida privada. Se atiene simplemente a los resultados, y cuando se le da gusto, no escatima su aplauso.

Lo único que yo puedo decir con certeza es que el saltimbanqui, a juzgar por sus reacciones, se sentía orgulloso y culpable. Evidentemente, nadie podría negarle el mérito de haber amaestrado a la mujer; pero nadie tampoco podría atender la idea de su propia vileza. (En este punto de mi meditación, la mujer daba vueltas de carnero en una angosta alfombra de terciopelo desvaído.)

El guardián del orden público se acercó nuevamente a hostilizar al saltimbanqui. Según él, estábamos entorpeciendo la circulación, el ritmo casi, de la vida normal. «¿Una mujer amaestrada? Váyanse todos ustedes al circo.» El acusado respondió otra vez con argumentos de papel sucio, que el policía leyó de lejos con asco. (La mujer, entre tanto, recogía monedas en su gorra de lentejuela. Algunos héroes se dejaban besar; otros se apartaban modestamente, entre dignos y avergonzados.)

El representante de la autoridad se fue para siempre, mediante la suscripción popular de un soborno. El saltimbanqui, fingiendo la mayor felicidad, ordenó al enano del tamboril que tocara un ritmo tropical. La mujer, que estaba preparándose para un número matemático, sacudía como pandero el ábaco de colores. Empezó a bailar con descompuestos ademanes difícilmente procaces. Su director se sentía defraudado a más no poder, ya que en el fondo de su corazón cifraba todas sus esperanzas en la cárcel. Abatido y furioso, increpaba la lentitud de la bailarina con adjetivos sangrientos. El público empezó a contagiarse de su falso entusiasmo, y quién más, quién menos, todos batían palmas y meneaban el cuerpo.

Para completar el efecto, y queriendo sacar de la situación el mejor partido posible, el hombre se puso a golpear a la mujer con su látigo de mentiras. Entonces me di cuenta del error que yo estaba cometiendo. Puse mis ojos en ella, sencillamente, como todos los demás. Dejé de mirarlo a él, cualquiera que fuese su tragedia. (En ese momento, las lágrimas surcaban su rostro enharinado.)

Resuelto a desmentir ante todos mis ideas de compasión y de crítica, buscando en vano con los ojos la venia del saltimbanqui, y antes de que otro arrepentido me tomara la delantera, salté por encima de la línea de tiza al círculo de contorsiones y cabriolas.

Azuzado por su padre, el enano del tamboril dio rienda suelta a su instrumento, en un crescendo de percusiones increíbles. Alentada por tan espontánea compañía, la mujer se superó a sí misma y obtuvo un éxito estruendoso. Yo acompasé mi ritmo con el suyo y no perdí pie ni pisada de aquel improvisado movimiento perpetuo, hasta que el niño dejó de tocar.

Como actitud final, nada me pareció más adecuado que caer bruscamente de rodillas.

Pablo

Una mañana igual a todas, en que las cosas tenían el aspecto de siempre y mientras el rumor de las oficinas del Banco Central se esparcía como un aguacero monótono, el corazón de Pablo fue visitado por la gracia. El cajero principal se detuvo en medio de las complicadas operaciones y sus pensamientos se concentraron en un punto. La idea de la divinidad llenó su espíritu, intensa y nítida como una visión, clara como una imagen sensorial. Un goce extraño y profundo, que otras veces había llegado hasta él como un reflejo momentáneo y fugaz, se hizo puro y durable y halló su plenitud. Le pareció que el mundo estaba habitado por Pablos innumerables y que en ese momento todos convergían en su corazón.

Pablo vio a Dios en el principio, personal y total, resumiendo dentro de sí todas las posibilidades de la creación. Sus ideas volaban en el espacio como ángeles y la más bella de todas era la idea de libertad, hermosa y amplia como la luz. El universo, recién creado y virginal, disponía sus criaturas en órdenes armoniosos. Dios les había impartido la vida, la quietud o el movimiento, pero había quedado él mismo íntegro, inabordable, sublime. La más perfecta de sus obras le era inmensamente remota. Desconocido en medio de su omnipotencia creadora y motora, nadie podía pensar en él ni suponerlo siquiera. Padre de unos hijos incapaces de amarlo, se sintió inexorablemente solo y pensó en el hombre como en la única posibilidad de verificar su esencia con plenitud. Supo entonces que el hombre debía

143

contener las cualidades divinas; de lo contrario, iba a ser otra criatura muda y sumisa. Y Dios, después de una larga espera, decidió vivir sobre la tierra; descompuso su ser en miles de partículas y puso el germen de todas ellas en el hombre, para que un día, después de recorrer todas las formas posibles de la vida, esas partes errantes y arbitrarias se reuniesen, formando otra vez el modelo original, aislando a Dios y devolviéndolo a la unidad. Así quedará concluido el ciclo de la existencia universal y verificado totalmente el proceso de la creación, que Dios emprendió un día en que su corazón rebosaba de amoroso entusiasmo.

Perdido en la corriente del tiempo, gota de agua en un mar de siglos, grano de arena en un desierto infinito, allí está Pablo en su mesa, con su traje gris a cuadros y sus anteojos de carey artificial, con el pelo castaño y liso dividido por una raya minuciosa, con sus manos que escriben letras y números impecables, con su ordenada cabeza de empleado contable que logra resultados infalibles, que distribuye las cifras en derechas columnas, que nunca ha cometido un error, ni puesto una mancha en las páginas de sus libros. Allí está, inclinado sobre su mesa, recibiendo las primeras palabras de un mensaje extraordinario, él, a quien nadie conoce ni conocerá jamás, pero que lleva dentro de sí la fórmula perfecta, el número acertado de una inmensa lotería.

Pablo no es bueno ni es malo. Sus actos responden a un carácter cuyo mecanismo es muy sencillo en apariencia; pero sus elementos han tardado miles de años en reunirse, y su funcionamiento fue previsto en el alba del mundo. Todo el pasado humano careció de Pablo. El presente está lleno de Pablos imperfectos, mejores y peores, grandes y pequeños, famosos o desconocidos. Inconscientemente, todas las madres trataron de tenerlo como hijo, todas delegaron esa tarea en sus descendientes, con la certeza de ser algún día sus abuelas. Pero Pablo había sido concebido como un fruto indirecto y remoto; su madre tuvo que morir, ignorante, en el momento mismo del alumbramiento. Y la clave del plan a que obedecía su existencia le fue confiada a Pablo durante una mañana cualquiera, que no llegó precedida de ningún aviso exterior, en la que todo era igual que siempre y en la que resonaba el trabajo, dentro de las extensas oficinas del Banco Central, con su mismo acostumbrado rumor.

Cuando salió de la oficina, Pablo vio el mundo con otros ojos. Rendía un silencioso homenaje a cada uno de sus semejantes. Veía a los hombres con el pecho transparente, como animadas custodias, y el blanco símbolo resplandecía en todas. El Creador excelente iba contenido en cada una de sus criaturas y verificado en ella. Desde ese día, Pablo juzgó la maldad de otra manera: como el resultado de una dosis incorrecta de virtudes, excesivas las unas, escasas las otras. Y el conjunto deficiente engendraba virtudes falsas, que tenían todo el aspecto del mal.

Pablo sentía una gran piedad por todos aquellos inconscientes portadores de Dios, que muchas veces lo olvidan y lo niegan, que lo sacrifican en un cuerpo corrompido. Vio a la humanidad que buceaba, que buscaba infatigablemente el arquetipo perdido. Cada hombre que nacía era un probable salvador; cada muerto era una fórmula fallida. El género humano, desde el primer día, efectúa todas las combinaciones posibles, ensaya todas las dosis imaginables con las partículas divinas que andan dispersas en el mundo. La humanidad esconde penosamente en la tierra sus fracasos y contempla con emoción el renovado sacrificio de las madres. Los santos y los sabios hacen renacer la esperanza; los grandes criminales del universo la frustran. Tal vez antes del hallazgo final aguarda la última decepción, y debe verificarse la fórmula que realice al hombre más exactamente contrario al arquetipo, la bestia apocalíptica que han temido todos los siglos.

Pablo sabía muy bien que nadie debe perder la esperanza. La humanidad es inmortal porque Dios está en ella y lo que hay en el hombre de perdurable es la eternidad misma de Dios. Las grandes hecatombes, los diluvios y los terremotos, la guerra y la peste no podrán acabar con la última pareja. El hombre nunca tendrá una sola cabeza, para que alguien pueda segarla de un golpe.

Desde el día de la revelación, Pablo vivió una vida diferente. Cesaron para él preocupaciones y afanes pasajeros.

Le pareció que la sucesión habitual de los días y las noches, las semanas y los meses, había cesado para él. Creyó vivir en un solo momento, enorme y detenido, amplio y estático como un islote en la eternidad. Consagraba sus horas libres a la reflexión y a la humanidad. Todos los días era visitado por claras ideas y su cerebro se iba poblando de resplandores. Sin que pusiera nada de su parte, el hálito universal lo penetraba poco a poco y se sentía iluminado y transcendido, como si un gran golpe de primavera traspasara el ramaje de su ser. Su pensamiento se ventilaba en las más altas cimas. En la calle, arrebatado por sus ideas, con la cabeza en las nubes, le costaba trabajo recordar que iba sobre la tierra. La ciudad se transfiguraba para él. Los pájaros y los niños le traían felices mensajes. Los colores parecían extremar su cualidad y estaban como recién puestos en las cosas. A Pablo le habría gustado ver el mar y las grandes montañas. Se consolaba con el césped y las fuentes.

¿Por qué los demás hombres no compartían con él ese goce supremo? Desde su corazón, Pablo hacía a todos silenciosas invitaciones. A veces le angustiaba la soledad de su éxtasis. Todo el mundo era suyo, y temblaba como un niño ante la enormidad del regalo; pero se prometió disfrutarlo detenidamente. Por lo pronto, había que dedicar la tarde a ese árbol grande y hermoso, a esa nube blanca y rosa que gira suavemente en el cielo, al juego de ese niño de cabellos rubios que rueda su pelota sobre el césped.

Naturalmente, Pablo sabía que una de las condiciones de su goce era la de ser un goce secreto, intransferible. Comparó su vida de antes con la de ahora. ¡Qué desierto de estéril monotonía! Comprendió que si alguien hubiera venido entonces a revelarle el panorama del mundo, él se habría quedado indiferente, viéndolo todo igual, intrascendente y vacío.

A nadie comunicó la más pequeña de sus experiencias. Vivía en una propicia soledad, sin amigos íntimos y con los parientes lejanos. Su carácter retraído y silencioso facilitaba la reserva. Sólo temió que su cara pudiera revelar la transformación, o que los ojos traicionaran el brillo interior. Por fortuna, nada de esto sucedía. En el trabajo y en la casa de huéspedes nadie notó cambio alguno y la vida exterior transcurría exactamente igual a la de antes.

A veces, un recuerdo aislado, de la infancia o la adolescencia, irrumpía de pronto en su memoria para incluirse en una clara unidad. A Pablo le gustaba agrupar estos recuerdos en torno de la idea central que llenaba su espíritu, y se complacía viendo en ellos una especie de presagio acerca de su destino ulterior. Presagios que había desatendido porque eran breves y débiles, porque no había aprendido aún a descifrar esos mensajes que la naturaleza envía, encerrados en pequeñas maravillas, hacia el corazón de cada hombre. Ahora se llenaban de sentido, y Pablo señalaba el camino de su espíritu, como con blancas piedrecillas. Cada una le recordaba una circunstancia dichosa, que él podía, a su antojo, volver a vivir.

En ciertos momentos, la partícula divina parecía tomar en el corazón de Pablo proporciones desacostumbradas, y Pablo se llenaba de espanto. Recurría a su probada humildad, juzgándose el más ínfimo de los hombres, el más inepto portador de Dios, el ensayo más desacertado en la interminable búsqueda.

Lo único que podía desear en sus momentos de mayor ambición, era vivir el momento del hallazgo. Pero esto le pareció imposible y desmesurado. Veía el impulso poderoso y aparentemente ciego que hace el género humano para sostenerse, para multiplicar cada vez más el número de los ensayos, para ofrecer siempre una resistencia indestructible a los fenómenos que interrumpen el curso de la vida. Esa potencia, ese triunfo cada vez más duramente alcanzado, llevaba implícita la esperanza y la certidumbre de que un día existirá entre los hombres el ser primigenio y final. Ese día cesará el instinto de conservación y de multiplicación. Todos los hombres vivientes quedarán superfluos, e irán desapareciendo absortos en el ser que todo lo contendrá, que habrá de justificar la humanidad, los siglos, los milenios de ignorancia, de vicio, de búsqueda. El género humano, limpio de todos sus males, reposará para siempre en el seno de su creador. Ningún dolor habrá sido baldío, ninguna alegría vana: habrán sido los dolores y las alegrías multiplicados de un solo ser infinito.

A esa idea feliz, que todo lo justifica, sucedía a veces en Pablo la idea opuesta, y lo absorbía y lo fatigaba. El hermoso sueño que tan lúcidamente soñaba, perdía claridad, amenazaba romperse o convertirse en pesadilla.

Dios podría quizás no recobrarse nunca y quedar para siempre disuelto y sepultado, preso en millones de cárceles, en seres desesperados que sentían cada uno su fracción de la nostalgia de Dios y que incansablemente se unían para recobrarlo, para recobrarse en él. Pero la esencia divina se iría desvirtuando poco a poco, como un precioso metal muchas veces fundido y refundido, que va perdiéndose en aleaciones cada vez más groseras. El espíritu de Dios ya no se expresaría sino en la voluntad enorme de sobrevivir, cerrando los ojos a millones de fracasos, a la diaria y negativa experiencia de la muerte. La partícula divina palpitaría violentamente en el corazón de cada hombre, golpeando la puerta de su cárcel. Todos responderían a este llamado con un deseo de reproducción cada vez más torpe y sin sentido, y la integración de Dios se volvería imposible, porque para aislar una sola partícula preciosa habría que reducir montañas de escoria, desecar pantanos de iniquidad.

En estas circunstancias, Pablo era presa de la desesperación. Y de la desesperación brotó la última certidumbre, la que en vano había tratado de aplazar.

Pablo comenzó a percibir su terrible cualidad de espectador y se dio cuenta de que al contemplar el mundo, lo devoraba. La contemplación nutría su espíritu, y su hambre de contemplar era cada vez mayor. Desconoció en los hombres a sus prójimos; su soledad comenzó a agrandarse hasta hacerse insoportable. Veía con envidia a los demás, a esos seres incomprensibles que nada saben y que ponen todo su espíritu, liberalmente, en mezquinas ocupaciones, gozando y sufriendo en torno a un Pablo solitario gigantesco, que respiraba por encima de todas las cabezas un aire enrarecido y puro, que recorría los días requisando y detentando los bienes de los hombres.

La memoria de Pablo comenzó a retroceder velozmente.

Vivió su vida día por día y minuto a minuto. Llegó a la infancia y a la puericia. Siguió adelante, más allá de su nacimiento, y conoció la vida de sus padres y la de sus antepasados, hasta la última raíz de su genealogía, donde volvió a encontrar su espíritu señoreado por la unidad.

Se sintió capaz de todo. Podría recordar el detalle más insignificante de la vida de cada hombre, encerrar el universo en una frase, ver con sus propios ojos las cosas más distantes en el tiempo y en el espacio, abarcar en su puño las nubes, los árboles y las piedras.

Su espíritu se replegó sobre sí mismo, lleno de temor. Una timidez inesperada y extraordinaria se adueñó de cada una de sus acciones. Eligió la impasibilidad exterior como respuesta al activo fuego que consumía sus entrañas. Nada debía cambiar el ritmo de la vida. Había de hecho dos Pablos, pero los hombres no conocían más que uno. El otro, el decisivo Pablo que podía hacer el balance de la humanidad y pronunciar un juicio adverso o favorable, permaneció ignorado, totalmente desconocido dentro de su fiel traje gris a cuadros, protegida la mirada de sus ojos abismales por unos anteojos de carey artificial.

En su repertorio infinito de recuerdos humanos, una anécdota insignificante, que tal vez había leído en la infancia, sobresalía y lastimaba levemente su espíritu. La anécdota aparecía desprovista de contorno y situaba sus frases escuetas en el cerebro de Pablo: en una aldea montañosa, un viejo pastor extranjero logró convencer a todos sus vecinos de que era la encarnación misma de Dios. Durante algún tiempo, gozó una situación privilegiada. Pero sobrevino una sequía. Las cosechas se perdieron, las ovejas morían. Los creyentes cayeron sobre el dios y lo sacrificaron sin piedad[1].

---

[1] En «El Evangelio según San Marcos» de *El informe de Brodie* cuenta Borges una historia de características muy similares. Un estudiante de medicina que veraneaba en una hacienda con el capataz y su familia, los Gutres, se vio sorprendido por una lluvia torrencial que se prolongaba indefinidamente. Para distraerlos solía leerles la Biblia que ellos escuchaban con gran atención. Así, llegaron a tomarle por un Dios y un día lo sacrificaron en la cruz.

En una sola ocasión Pablo estuvo a punto de ser descubierto. Una sola vez debió de estar a su verdadera altura, ante los ojos de otro, y en ese caso Pablo no desmintió su condición y supo aceptar durante un instante el riesgo inmenso.

Era un día hermoso, en que Pablo saciaba su sed universal paseando por una de las avenidas más céntricas de la ciudad. Un individuo se detuvo de pronto, a la mitad de la acera, reconociéndolo. Pablo sintió que un rayo descendía sobre él. Quedó inmóvil y mudo de sorpresa. Su corazón latió con violencia, pero también con infinita ternura. Inició un paso y trató de abrir los brazos en un gesto de protección, dispuesto a ser identificado, delatado, crucificado.

La escena, que a Pablo le pareció eterna, había durado sólo breves segundos. El desconocido pareció dudar una última vez y luego, turbado, reconociendo su equivocación, murmuró a Pablo una excusa, y siguió adelante.

Pablo permaneció un buen rato sin caminar, presa de angustia, aliviado y herido a la vez. Comprendió que su rostro comenzaba a denunciarlo y redobló sus cuidados. Desde entonces prefería pasear solamente en el crepúsculo y visitar los parques que las primeras horas de la noche volvían apacibles y umbrosos.

Pablo tuvo que vigilar estrechamente cada uno de sus actos y puso todo empeño en suprimir el más insignificante deseo. Se propuso no entorpecer en lo más mínimo el curso de la vida, ni alterar el más insignificante de los fenómenos. Prácticamente, anuló su voluntad. Trató de no hacer nada para verificar por sí mismo su naturaleza; la idea de la omnipotencia pesaba sobre su espíritu, abrumándolo.

Pero todo era inútil. El universo penetraba en su corazón a raudales, restituyéndose a Pablo como un ancho río que devolviera todo el caudal de sus aguas a la fuente original. De nada servía que opusiera alguna resistencia; su corazón se despliega como una llanura, y sobre él llovía la esencia de las cosas.

En el exceso mismo de su abundancia, en el colmo de su riqueza, Pablo comenzó a sufrir por el empobrecimiento del mundo, que iba a vaciarse de sus seres, a perder su calor y a detener su movimiento. Una sensación desbordante de piedad y de lástima empezó a invadirlo hasta hacerse insufrible.

Pablo se dolía por todo: por la vida frustrada de los niños, cuya ausencia empezaba a notarse ya en los jardines y en las escuelas; por la vida inútil de los hombres y por la vana impaciencia de las embarazadas que ya no vivirían el nacimiento de sus hijos; por las jóvenes parejas que de pronto se deshacían, roto ya el diálogo superfluo, despidiéndose sin formular una cita para el día siguiente. Y temió por los pájaros, que olvidaban sus nidos y se iban a volar sin rumbo, perdidos, sosteniéndose apenas en un aire sin movimiento. Las hojas de los árboles comenzaban a amarillear y a caer. Pablo se estremeció al pensar que ya no habría otra primavera para ellos, porque él iba a alimentarse con la vida de todo lo que moría. Se sintió incapaz de sobrevivir al recuerdo del mundo muerto, y sus ojos se llenaron de lágrimas.

El corazón tierno de Pablo no precisaba un largo examen. Su tribunal no llegó a funcionar para nadie. Pablo decidió que el mundo viviera, y se comprometió a devolver todo lo que le había ido quitando. Trató de recordar si en el pasado no había algún otro Pablo que se hubiera precipitado, desde lo alto de su soledad, para vivir en el océano del mundo un nuevo ciclo de vida dispersa y fugitiva.

Una mañana nublada, en la que el mundo había perdido ya casi todos sus colores y en la que el corazón de Pablo destellaba como un cofre henchido de tesoros, decidió su sacrificio. Un viento de destrucción vagaba por el mundo, una especie de arcángel negro con alas de cierzo y de llovizna que parecía ir borrando el perfil de la realidad, preludiando la última escena. Pablo lo sintió capaz de todo, de disolver los árboles y las estatuas, de destruir las piedras arquitectónicas, de llevarse en sus alas sombrías el último calor de las cosas. Tembloroso, sin poder soportar un momento más el espectáculo de la desintegración universal, Pablo se encerró en su cuarto y se dispuso a morir. De modo cualquiera, como un ínfimo suicida, dio fin a sus días antes de que fuera demasiado tarde, y abrió de par en par las compuertas de su alma.

La humanidad continúa empeñosamente sus ensayos después de haber escondido bajo la tierra otra fórmula fallida. Desde ayer Pablo está otra vez con nosotros, en nosotros, buscándose.

Esta mañana, el sol brilla con raro esplendor.

Parábola del trueque

Al grito de «¡Cambio esposas viejas por nuevas!» el mercader recorrió las calles del pueblo arrastrando su convoy de pintados carromatos.

Las transacciones fueron muy rápidas, a base de unos precios inexorablemente fijos. Los interesados recibieron pruebas de calidad y certificados de garantía, pero nadie pudo escoger. Las mujeres, según el comerciante, eran de veinticuatro quilates. Todas rubias y todas circasianas. Y más que rubias, doradas como candeleros.

Al ver la adquisición de su vecino, los hombres corrían desaforados en pos del traficante. Muchos quedaron arruinados. Sólo un recién casado pudo hacer cambio a la par. Su esposa estaba flamante y no desmerecía ante ninguna de las extranjeras. Pero no era tan rubia como ellas.

Yo me quedé temblando detrás de la ventana, al paso de un carro suntuoso. Recostada entre almohadones y cortinas, una mujer que parecía un leopardo me miró deslumbrante, como desde un bloque de topacio. Presa de aquel contagioso frenesí, estuve a punto de estrellarme contra los vidrios. Avergonzado, me aparté de la ventana y volví el rostro para mirar a Sofía.

Ella estaba tranquila, bordando sobre un nuevo mantel las iniciales de costumbre. Ajena al tumulto, ensartó la aguja con sus dedos seguros. Sólo yo que la conozco podía advertir su tenue, imperceptible palidez. Al final de la calle, el mercader lanzó por último la turbadora proclama: «¡Cambio esposas viejas por nuevas!» Pero yo me quedé.

con los pies clavados en el suelo, cerrando los oídos a la oportunidad definitiva. Afuera, el pueblo respiraba una atmósfera de escándalo.

Sofía y yo cenamos sin decir una palabra, incapaces de cualquier comentario.

—¿Por qué no me cambiaste por otra? —me dijo al fin, llevándose los platos.

No pude contestarle, y los dos caímos más hondo en el vacío. Nos acostamos temprano, pero no podíamos dormir. Separados y silenciosos, esa noche hicimos un papel de convidados de piedra.

Desde entonces vivimos en una pequeña isla desierta, rodeados por la felicidad tempestuosa. El pueblo parecía un gallinero infestado de pavos reales. Indolentes y voluptuosas, las mujeres pasaban todo el día echadas en la cama. Surgían al atardecer, resplandecientes a los rayos del sol, como sedosas banderas amarillas.

Ni un momento se separaban de ellas los maridos complacientes y sumisos. Obstinados en la miel, descuidaban su trabajo sin pensar en el día de mañana.

Yo pasé por tonto a los ojos del vecindario, y perdí los pocos amigos que tenía. Todos pensaron que quise darles una lección, poniendo el ejemplo absurdo de la fidelidad. Me señalaban con el dedo, riéndose, lanzándome pullas desde sus opulentas trincheras. Me pusieron sobrenombres obscenos, y yo acabé por sentirme como una especie de eunuco en aquel edén placentero.

Por su parte, Sofía se volvió cada vez más silenciosa y retraída. Se negaba a salir a la calle conmigo, para evitarme contrastes y comparaciones. Y lo que es peor, cumplía de mala gana con sus más estrictos deberes de casada. A decir verdad los dos nos sentíamos apenados de unos amores tan modestamente conyugales.

Su aire de culpabilidad era lo que más me ofendía. Se sintió responsable de que yo no tuviera una mujer como las otras. Se puso a pensar desde el primer momento que su humilde semblante de todos los días era incapaz de apartar la imagen de la tentación que yo llevaba en la cabeza. Ante la hermosura invasora, se batió en retirada hasta los últimos rincones del mudo resentimiento. Yo agoté en vano nuestras pequeñas economías, comprándole adornos, perfumes, alhajas y vestidos.

—¡No me tengas lástima!

Y volvía la espalda a todos los regalos. Si me esforzaba en mimarla, venía su respuesta entre lágrimas:

—¡Nunca te perdonaré que no me hayas cambiado!

Y me echaba la culpa de todo. Yo perdía la paciencia. Y recordando a la que parecía un leopardo, deseaba de todo corazón que volviera a pasar el mercader.

Pero un día las rubias comenzaron a oxidarse. La pequeña isla en que vivíamos recobró su calidad de oasis, rodeada por el desierto. Un desierto hostil, lleno de salvajes alaridos de descontento. Deslumbrados a primera vista, los hombres no pusieron realmente atención en las mujeres. Ni les echaron una buena mirada, ni se les ocurrió ensayar su metal. Lejos de ser nuevas, eran de segunda, de tercera, de sabe Dios cuántas manos... El mercader les hizo sencillamente algunas reparaciones indispensables, y les dio un baño de oro tan bajo y tan delgado, que no resistió la prueba de las primeras lluvias.

El primer hombre que notó algo extraño se hizo el desentendido, y el segundo también. Pero el tercero, que era farmacéutico, advirtió un día entre el aroma de su mujer la característica emanación del sulfato de cobre. Procediendo con alarma a un examen minucioso, halló manchas oscuras en la superficie de la señora y puso el grito en el cielo.

Muy pronto aquellos lunares salieron a la cara de todas, como si entre las mujeres brotara una epidemia de herrumbre. Los maridos se ocultaron unos a otros las fallas de sus esposas, atormentándose en secreto con terribles sospechas acerca de su procedencia. Poco a poco salió a relucir la verdad, y cada quien supo que había recibido una mujer falsificada.

El recién casado que se dejó llevar por la corriente del entusiasmo que despertaron los cambios, cayó en un profundo abatimiento. Obsesionado por el recuerdo de un cuerpo de blancura inequívoca, pronto dio muestras de extravío. Un día se puso a remover con ácidos corrosivos los restos de oro que había en el cuerpo de su esposa, y la dejó hecha una lástima, una verdadera momia.

Sofía y yo nos encontramos a merced de la envidia y del odio. Ante esa actitud general, creí conveniente tomar algunas precauciones. Pero a Sofía le costaba trabajo disimular su júbilo, y dio en salir a la calle con sus mejores atavíos, haciendo gala entre tanta desolación. Lejos de atribuir algún mérito a mi conducta, Sofía pensaba naturalmente que yo me había quedado con ella por cobarde, pero que no me faltaron las ganas de cambiarla.

Hoy salió del pueblo la expedición de los maridos engañados, que van en busca del mercader. Ha sido verdaderamente un triste espectáculo. Los hombres levantaban al cielo los puños, jurando venganza. Las mujeres iban de luto, lacias y desgreñadas, como plañideras leprosas. El único que se quedó es el famoso recién casado, por cuya razón se teme. Dando pruebas de un apego maniático, dice que ahora será fiel hasta que la muerte lo separe de la mujer ennegrecida, esa que él mismo acabó de estropear a base de ácido sulfúrico.

Yo no sé la vida que me aguarda al lado de una Sofía quién sabe si necia o si prudente. Por lo pronto, le van a faltar admiradores. Ahora estamos en una isla verdadera, rodeada de soledad por todas partes. Antes de irse, los maridos declararon que buscarán hasta el infierno los rastros del estafador. Y realmente, todos ponían al decirlo una cara de condenados.

Sofía no es tan morena como parece. A la luz de la lámpara, su rostro dormido se va llenando de reflejos. Como si del sueño le salieran leves, dorados pensamientos de orgullo.

Un pacto con el diablo

Aunque me di prisa y llegué al cine corriendo, la película había comenzado. En el salón oscuro traté de encontrar un sitio. Quedé junto a un hombre de aspecto distinguido.

—Perdone usted —le dije—, ¿no podría contarme brevemente lo que ha ocurrido en la pantalla?

—Sí. Daniel Brown, a quien ve usted allí, ha hecho un pacto con el diablo.

—Gracias. Ahora quiero saber las condiciones del pacto: ¿podría explicármelas?

—Con mucho gusto. El diablo se compromete a proporcionar la riqueza a Daniel Brown durante siete años. Naturalmente, a cambio de su alma.

—¿Siete nomás?

—El contrato puede renovarse. No hace mucho, Daniel Brown lo firmó con un poco de sangre.

Yo podía completar con estos datos el argumento de la película. Eran suficientes, pero quise saber algo más. El complaciente desconocido parecía ser hombre de criterio. En tanto que Daniel Brown se embolsaba una buena cantidad de monedas de oro, pregunté:

—En su concepto, ¿quién de los dos se ha comprometido más?

—El diablo.

—¿Cómo es eso? —repliqué sorprendido.

—El alma de Daniel Brown, créame usted, no valía gran cosa en el momento en que la cedió.

—Entonces el diablo...

—Va a salir muy perjudicado en el negocio, porque Daniel se manifiesta muy deseoso de dinero, mírelo usted.

Efectivamente, Brown gastaba el dinero a puñados. Su alma de campesino se desquiciaba. Con ojos de reproche, mi vecino añadió:

—Ya llegarás al séptimo año, ya.

Tuve un estremecimiento. Daniel Brown me inspiraba simpatía. No pude menos de preguntar:

—Usted, perdóneme, ¿no se ha encontrado pobre alguna vez?

El perfil de mi vecino, esfumado en la oscuridad, sonrió débilmente. Apartó los ojos de la pantalla donde ya Daniel Brown comenzaba a sentir remordimientos y dijo sin mirarme:

—Ignoro en qué consiste la pobreza, ¿sabe usted?

—Siendo así...

—En cambio, sé muy bien lo que puede hacerse en siete años de riqueza.

Hice un esfuerzo para comprender lo que serían esos años, y vi la imagen de Paulina, sonriente, con un traje nuevo y rodeada de cosas hermosas. Esta imagen dio origen a otros pensamientos:

—Usted acaba de decirme que el alma de Daniel Brown no valía nada: ¿cómo, pues, el diablo le ha dado tanto?

—El alma de ese pobre muchacho puede mejorar, los remordimientos pueden hacerla crecer —contestó filosóficamente mi vecino, agregando luego con malicia—: entonces el diablo no habrá perdido su tiempo.

—¿Y si Daniel se arrepiente?...

Mi interlocutor pareció disgustado por la piedad que yo manifestaba. Hizo un movimiento como para hablar, pero solamente salió de su boca un pequeño sonido gutural. Yo insistí:

—Porque Daniel Brown podría arrepentirse, y entonces...

—No sería la primera vez que al diablo le selieran mal estas cosas. Algunos se le han ido ya de las manos a pesar del contrato.

—Realmente es muy poco honrado —dije, sin darme cuenta.

—¿Qué dice usted?

—Si el diablo cumple, con mayor razón debe el hombre cumplir —añadí como para explicarme.

—Por ejemplo... —y mi vecino hizo una pausa llena de interés.

—Aquí está Daniel Brown —contesté—. Adora a su mujer. Mire usted la casa que le compró. Por amor ha dado su alma y debe cumplir.

A mi compañero le desconcertaron mucho estas razones.

—Perdóneme —dijo—, hace un instante usted estaba de parte de Daniel.

—Y sigo de su parte. Pero debe cumplir.

—Usted, ¿cumpliría?

No pude responder. En la pantalla, Daniel Brown se hallaba sombrío. La opulencia no bastaba para hacerle olvidar su vida sencilla de campesino. Su casa era grande y lujosa, pero extrañamente triste. A su mujer le sentaban mal las galas y las alhajas. ¡Parecía tan cambiada!

Los años transcurrían veloces y las monedas saltaban rápidas de las manos de Daniel, como antaño la semilla. Pero tras él, en lugar de plantas, crecían tristezas, remordimientos.

Hice un esfuerzo y dije:

—Daniel debe cumplir. Yo también cumpliría. Nada existe peor que la pobreza. Se ha sacrificado por su mujer, lo demás no importa.

—Dice usted bien. Usted comprende porque también tiene mujer, ¿no es cierto?

—Daría cualquier cosa porque nada le faltase a Paulina.

—¿Su alma?

Hablábamos en voz baja. Sin embargo, las personas que nos rodeaban parecían molestas. Varias veces nos habían pedido que calláramos. Mi amigo, que parecía vivamente interesado en la conversación, me dijo:

—¿No quiere usted que salgamos a uno de los pasillos? Podremos ver más tarde la película.

No pude rehusar y salimos. Miré por última vez a la pantalla: Daniel Brown confesaba llorando a su mujer el pacto que había hecho con el diablo.

Yo seguía pensando en Paulina, en la desesperante estrechez en que vivíamos, en la pobreza que ella soportaba dulcemente y que me hacía sufrir mucho más. Decididamente, no comprendía yo a Daniel Brown, que lloraba con los bolsillos repletos.

—Usted, ¿es pobre?

Habíamos atravesado el salón y entrábamos en un angosto pasillo, oscuro y con un leve olor de humedad. Al trasponer la cortina gastada, mi acompañante volvió a preguntarme:

—Usted, ¿es muy pobre?

—En este día —le contesté—, las entradas al cine cuestan más baratas que de ordinario y, sin embargo, si supiera usted qué lucha para decidirme a gastar ese dinero. Paulina se ha empeñado en que viniera; precisamente por discutir con ella llegué tarde al cine.

—Entonces, un hombre que resuelve sus problemas tal como lo hizo Daniel, ¿qué concepto le merece?

—Es cosa de pensarlo. Mis asuntos marchan muy mal. Las personas ya no se cuidan de vestirse. Van de cualquier modo. Reparan sus trajes, los limpian, los arreglan una y otra vez. Paulina misma sabe entenderse muy bien. Hace combinaciones y añadidos, se improvisa trajes; lo cierto es que desde hace mucho tiempo no tiene un vestido nuevo.

—Le prometo hacerme su cliente —dijo mi interlocutor, compadecido—; en esta semana le encargaré un par de trajes.

—Gracias. Tenía razón Paulina al pedirme que viniera al cine; cuando sepa esto va a ponerse contenta.

—Podría hacer algo más por usted —añadió el nuevo cliente—; por ejemplo, me gustaría proponerle un negocio, hacerle una compra...

—Perdón —contesté con rapidez—, no tenemos ya nada para vender: lo último, unos aretes de Paulina...

Hice como que meditaba un poco. Hubo una pausa que mi benefactor interrumpió con voz extraña:

—Reflexione usted. Mire, allí tiene usted a Daniel Brown. Poco antes de que usted llegara, no tenía nada para vender y, sin embargo...

Noté, de pronto, que el rostro de aquel hombre se hacía más agudo. La luz roja de un letrero puesto en la pared daba a sus ojos un fulgor extraño, como fuego. Él advirtió mi turbación y dijo con voz clara y distinta:

—A estas alturas, señor mío, resulta por demás una presentación. Estoy completamente a sus órdenes.

Hice instintivamente la señal de la cruz con mi mano derecha, pero sin sacarla del bolsillo. Esto pareció quitar al signo su virtud, porque el diablo, componiendo el nudo de su corbata, dijo con toda calma:

—Aquí, en la cartera, llevo un documento que...

Yo estaba perplejo. Volvía a ver a Paulina de pie en el umbral de la casa, con su traje gracioso y desteñido, en la actitud en que se hallaba cuando salí: el rostro inclinado y sonriente, las manos ocultas en los pequeños bolsillos de su delantal.

Pensé que nuestra fortuna estaba en mis manos. Esta noche apenas si teníamos algo para comer. Mañana habría manjares sobre la mesa. Y también vestidos y joyas, y una casa grande y hermosa. ¿El alma?

Mientras me hallaba sumido en tales pensamientos, el diablo había sacado un pliego crujiente y en una de sus manos brillaba una aguja.

«Daría cualquier cosa porque nada te faltara.» Esto lo había dicho yo muchas veces a mi mujer. Cualquier cosa. ¿El alma? Ahora estaba frente a mí el que podía hacer efectivas mis palabras. Pero yo seguía meditando. Dudaba. Sentía una especie de vértigo. Bruscamente, me decidí:

—Trato hecho. Sólo pongo una condición.

El diablo, que ya trataba de pinchar mi brazo con su aguja, pareció desconcertado:

—¿Qué condición?

—Me gustaría ver el final de la película —contesté.

—¡Pero qué le importa a usted lo que ocurra a ese imbécil de Daniel Brown! Además, eso es un cuento. Déjelo usted y firme, el documento está en regla, sólo hace falta su firma, aquí sobre esta raya.

La voz del diablo era insinuante, ladina, como un sonido de monedas de oro. Añadió:

—Si usted gusta, puedo hacerle ahora mismo un anticipo.

Parecía un comerciante astuto. Yo repuse con energía:

—Necesito ver el final de la película. Después firmaré.

—¿Me da usted su palabra?

—Sí.

Entramos de nuevo en el salón. Yo no veía en absoluto, pero mi guía supo hallar fácilmente dos asientos.

En la pantalla, es decir, en la vida de Daniel Brown, se había operado un cambio sorprendente, debido a no sé qué misteriosas circunstancias.

Una casa campesina, destartalada y pobre. La mujer de Brown estaba junto al fuego, preparando la comida. Era el crepúsculo y Daniel volvía del campo con la azada al hombro. Sudoroso, fatigado, con su burdo traje lleno de polvo, parecía, sin embargo dichoso.

Apoyado en la azada, permaneció junto a la puerta. Su mujer se le acercó, sonriendo. Los dos contemplaron el día que se acababa dulcemente, prometiendo la paz y el descanso de la noche. Daniel miró con ternura a su esposa, y recorriendo luego con los ojos la limpia pobreza de la casa, preguntó:

—Pero, ¿no echas tú de menos nuestra pasada riqueza? ¿Es que no te hacen falta todas las cosas que teníamos?

La mujer respondió lentamente:

—Tu alma vale más que todo eso, Daniel...

El rostro del campesino se fue iluminando, su sonrisa parecía extenderse, llenar toda la casa, salir del paisaje. Una música surgió de esa sonrisa y parecía disolver poco a poco las imágenes. Entonces, de la casa dichosa y pobre de Daniel Brown brotaron tres letras blancas que fueron creciendo, creciendo, hasta llenar toda la pantalla.

Sin saber cómo, me hallé de pronto en medio del tumulto que salía de la sala, empujando, atropellando, abriéndome paso con violencia. Alguien me cogió de un brazo y trató de sujetarme. Con gran energía me solté, y pronto salí a la calle.

Era de noche. Me puse a caminar de prisa cada vez más de prisa, hasta que acabé por echar a correr. No volví la cabeza ni me detuve hasta que llegué a mi casa. Entré lo más tranquilamente que pude y cerré la puerta con cuidado.

Paulina me esperaba.

Echándome los brazos al cuello, me dijo:

—Pareces agitado.

—No, nada, es que...

—¿No te ha gustado la película?

—Sí, pero...

Yo me hallaba turbado. Me llevé las manos a los ojos. Paulina se quedó mirándome, y luego, sin poderse contener, comenzó a reír, a reír alegremente de mí, que deslumbrado y confuso me había quedado sin saber qué decir. En medio de su risa, exclamó con festivo reproche:

—¿Es posible que te hayas dormido?

Estas palabras me tranquilizaron. Me señalaron un rumbo. Como avergonzado, contesté:

—Es verdad, me he dormido.

Y luego, en son de disculpa, añadí:

—Tuve un sueño, y voy a contártelo.

Cuando acabé mi relato, Paulina me dijo que era la mejor película que yo podía haberle contado. Parecía contenta y se rió mucho.

Sin embargo, cuando yo me acostaba, pude ver cómo ella, sigilosamente, trazaba con un poco de ceniza la señal de la cruz sobre el umbral de nuestra casa.

El converso

Entre Dios y yo todo ha quedado resuelto desde el momento en que he aceptado sus condiciones. Renuncio a mis propósitos y doy por terminadas mis labores apostólicas. El infierno no podrá ser suprimido; toda obstinación de mi parte será inútil y contraproducente. Dios se ha mostrado en esto claro y definitivo, y ni siquiera me permitió llegar a las últimas proposiciones.

Entre otros deberes, he contraído el de hacer volver atrás a mis discípulos. A los de la tierra, se entiende. Los del infierno seguirán esperando inexorablemente mi regreso. En lugar de la redención prometida, no habré hecho más que añadir un nuevo suplicio: el de la esperanza. Dios lo ha querido así.

Yo debo volver al punto de partida. Dios se niega a iluminarme y debo colocar mi espíritu en el plano en que se hallaba antes de seguir el camino equivocado, esto es, en vísperas de recibir las órdenes menores.

Nuestro coloquio se ha desarrollado en el sitio que ocupo desde que fui arrebatado del infierno. Es algo así como una celda abierta en lo infinito y ocupada totalmente por mi cuerpo.

Dios no acudió inmediatamente. Por el contrario, me pareció una eternidad la espera, y un sentimiento de postergación indecible me hacía sufrir más que todos los suplicios anteriores. El dolor pasado era un recuerdo grato en cierta manera, ya que me daba ocasión de comprobar mi existencia y de percibir los contornos de mi cuerpo. Allí, en cambio, me podía comparar a una nube, a un islote sensible, de márgenes constituidas por estados cada vez más inconscientes, de manera que no lograba saber hasta dónde existía ni en qué punto me comunicaba con la nada.

Mi sola capacidad era el pensamiento, siempre más desbordado y potente. En la soledad tuve tiempo de andar y desandar numerosos caminos; reconstruí pieza por pieza edificios imaginarios; me extravié en mi propio laberinto, y sólo hallé la salida cuando la voz de Dios vino a buscarme. Millones de ideas se pusieron en fuga, y sentí que mi cabeza era la cuenca de un océano que de pronto se vaciaba.

Está por demás aclarar que fue Dios quien puso todas las condiciones del pacto, y que a mí sólo me reservó el privilegio de aceptarlas. No fortaleció mi juicio en modo alguno; el arbitrio fue tan completo, que su imparcialidad me parece falta de misericordia. Se limitó a indicarme los dos caminos: recomenzar mi vida, o ir de nuevo al infierno.

Todos dirán que el asunto no era para pensarse y que debí decidirme inmediatamente. Pero tuve que dudar mucho. Volver atrás no es cosa sencilla; se trata nada menos que de inaugurar una vida deshaciendo los errores y salvando los obstáculos de otra; y esto, para un hombre que no ha dado muestras de gran discernimiento, exige una serenidad y una resignación que Dios mismo echa de menos en mi persona. No sería difícil errar otra vez y que el camino de salvación se desviara nuevamente hacia el abismo.

Además, en mi conducta futura está incluida toda una serie de actos insoportables, de humillaciones sin cuento: debo someterme y aclarar públicamente mi nueva situación. Han de saberlo todos, discípulos y enemigos. Los superiores cuya autoridad desprecié recibirán las cumplidas muestras de mi obediencia. Juro que si entre tales personas no se hallara fray Lorenzo, la cosa no sería tan grave. Pero es él precisamente quien debe enterarse primero y aparecer como agente de mi salvación. Tendrá a su cargo la vigilancia estrecha de mi vida, y cada una de mis acciones deberá desnudarse ante sus ojos.

Volver al infierno es también una idea desalentadora; porque no se trata únicamente de condenación, sino de algo más fundamental: del fracaso de toda mi labor. Mi presencia en el infierno carece ya de sentido, no tiene importancia, desde el momento en que volvería incapacitado para convencer a nadie, para alentar la menor esperanza, ya que Dios ha puesto punto final a mis ensueños. Esto, descontando la naturalísima circunstancia de que en el infierno todos habrían de sentirse defraudados. Llamándome farsante y traidor, darían a mi mudanza interpretaciones malignas y torcidas; se dedicarían, sin duda alguna, a martirizarme *in aeternum* por su cuenta...

Y aquí estoy, al borde del tiempo, asistido de mis más precarias cualidades, hablando de miedos mezquinos, haciendo gala de amor propio. Porque no puedo olvidar el éxito que obtuve en el infierno. Un triunfo, me atrevo a asegurarlo, que no han visto los apóstoles en la tierra. Era un espectáculo grandioso, y en medio estaba mi fe, inquebrantable, multiplicada, como una espada resplandeciente en las manos de todos.

Fui a dar de bruces en el infierno, pero no dudé un solo instante. Rodeado de diablos tenebrosos, la idea de perdición no pudo abrirse paso en mi cabeza. Legiones de hombres sufrían tormento en máquinas horribles; sin embargo, a cada hecho desolador, mi fe respondía: Dios quiere probarme.

Las dolencias que en la tierra me causaron mis verdugos no parecían interrumpirse, sino que hallaban una exacta continuación. Dios mismo ha examinado todas mis heridas y no ha podido discernir cuáles me fueron causadas en el mundo y cuáles provenían de manos diabólicas.

No sé cuánto estuve en el infierno, pero recuerdo con claridad la rapidez y la grandeza del apostolado. Me di incansablemente a la tarea de transmitir a los demás las convicciones propias: no estábamos definitivamente condenados; el castigo subsistía gracias a la actitud rebelde y desesperada. En vez de blasfemar, había que dar muestras de sacrificio, de humildad. El dolor sería el mismo y nada iba a perderse con hacer una prueba. Pronto volvería Dios su vista hacia nosotros, para darse cuenta de que habíamos comprendido sus secretos fines. Las llamas cumplirían su obra de purificación y las puertas del cielo iban a abrirse ya a los primeros perdonados.

Pronto empezó a tomar vuelo mi canto de esperanza. El venero de la fe comenzó a refrescar los corazones endurecidos, con su dulce acento olvidado. Debo confesar ciertamente que para muchos aquello significaba sólo una especie de novedad a lo largo de la cruel monotonía. Pero al clamor se unieron hasta los más empedernidos, y hubo demonios que olvidaron su condición y se sumaban resueltamente a nuestras filas. Se vieron entonces cosas sorprendentes: condenados que iban ellos mismos a los hornos y se aplicaban contra el pecho brasas y cauterios, que saltaban a las calderas hirvientes y bebían con deleite largos vasos de plomo fundido. Demonios temblorosos de compasión iban a ellos y los obligaban a tomar reposo, a hacer una tregua en su actitud conmovedora. De lugar abyecto y abisal, el infierno se había transformado en santo refugio de espera y penitencia.

¿Qué harán ellos ahora? ¿Habrán vuelto a su rebeldía, a su desesperación, o estarán aguardando con angustia mi regreso a un infierno que ya no podré mirar con ojos de iluminado?

Yo, que rechacé todos los argumentos humanos, que vi sonreír el rostro de Dios detrás de todos los tormentos, debo confesar ahora mi fracaso. Me cabe el alivio de que fue Dios mismo quien me desengañó, y no fray Lorenzo. Me ha sido impuesto el sacrificio de reconocerlo como salvador para castigar suficientemente mi vanidad; y el orgullo que no se rompió en los potros, irá a doblarse ante sus ojos crueles.

Y todo gracias a que yo quise vivir a la buena de Dios. Cosa sorprendente, vivir a la buena de Dios trae los peores resultados. A Dios ofende una fe ciega; pide una fe vigilante, sobrecogida. Yo aniquilé totalmente la voluntad, y por mi espíritu y por mi cuerpo transitaron libremente los instintos y las virtudes. En vez de dedicarme a clasificar, puse todas las fuerzas en la fe, para hacer de mi quietismo una llama recóndita y potente; y las acciones, las dejé al capricho de esa fuerza oscura y universal que mueve cuanto existe sobre la tierra.

Todo esto se vino abajo de golpe, cuando me di cuenta de que los actos, buenos y malos, que yo había remitido al depósito de la conciencia general —vana creación de nuestra mente de herejes—, se hallaban estrictamente anotados en mi cuenta personal. Dios me hizo comprobar la existencia de balanzas y registros; señaló uno por uno mis errores y me puso ante los ojos de la afrenta de un saldo negativo. Yo no tuve a mi favor sino la fe, una fe totalmente errada, pero cuya solvencia Dios quiso reconocer.

Me doy cuenta de que en mi caso se comprueba la predestinación, pero ignoro si estaré a salvo durante la nueva tentativa. Dios ha fortalecido reiteradamente mi incertidumbre y me ha soltado de sus manos sin una sola prueba palpable, con igual turbación ante los diferentes caminos que se abren a mis ojos inexpertos. La humana incapacidad ha sido cuidadosamente restaurada; lo veo todo como un sueño y no traigo ni una sola verdad como equipaje.

Poco a poco las fronteras de mi cuerpo se reducen. El vago continente va incorporándose a la masa de mi persona. Siento que la piel envuelve y limita la sustancia que se había derramado en un orbe de inconsciencia. Renacen lentamente los sentidos y me comunican con el mundo y sus objetos.

Estoy en mi celda, sobre el suelo. Veo el crucifijo de la pared. Muevo una pierna, palpo mi frente. Mis labios se remueven; percibo ya el soplo de la vida y trato de articular, de ensayar las palabras terribles: «Yo, Alonso de Cedillo, me retracto y abjuro...»

Luego, frente a la reja, con su linterna en la mano, observándome, distingo a fray Lorenzo.

El silencio de Dios

Creo que esto no se acostumbra: dejar cartas abiertas sobre la mesa para que Dios las lea.

Perseguido por días veloces, acosado por ideas tenaces, he venido a parar en esta noche como a una punta de callejón sombrío. Noche puesta a mis espaldas como un muro y abierta frente a mí como una pregunta inagotable.

Las circunstancias me piden un acto desesperado y pongo esta carta delante de los ojos que lo ven todo. He retrocedido desde la infancia, aplazando siempre esta hora en que caigo por fin. No trato de aparecer ante nadie como el más atribulado de los hombres. Nada de eso. Cerca o lejos debe haber otros que también han sido acorralados en noches como ésta. Pero yo pregunto: ¿cómo han hecho para seguir viviendo? ¿Han salido siquiera con vida de la travesía?

Necesito hablar y confiarme; no tengo destinatario para mi mensaje de náufrago. Quiero creer que alguien va a recogerlo, que mi carta no flotará en el vacío, abierta y sola, como sobre un mar inexorable.

¿Es poco un alma que se pierde? Millares caen sin cesar, faltas de apoyo, desde el día en que se alzan para pedir las claves de la vida. Pero yo no quiero saberlas, no pretendo que caigan en mis manos las razones del universo. No voy a buscar en esta hora de sombra lo que no hallaron en espacios de luz los sabios y los santos. Mi necesidad es breve y personal.

Quiero ser bueno y solicito unos informes. Eso es todo.

Estoy balanceado en un vértigo de incertidumbre, y mi mano, que sale por último a la superficie, no encuentra una brizna para detenerse. Y es poco lo que me falta, sencillo el dato que necesito.

Desde hace algún tiempo he venido dando un cierto rumbo a mis acciones, una orientación que me ha parecido razonable, y estoy alarmado. Temo ser víctima de una equivocación, porque todo, hasta la fecha, me ha salido muy mal.

Me siento sumamente defraudado al comprobar que mis fórmulas de bondad producen siempre un resultado explosivo. Mis balanzas funcionan mal. Hay algo que me impide elegir con claridad los ingredientes del bien. Siempre se adhiere una partícula maligna y el producto estalla en mis manos.

¿Es que estoy incapacitado para la elaboración del bien? Me dolería reconocerlo, pero soy capaz de aprendizaje.

No sé si a todos les sucede lo mismo. Yo paso la vida cortejado por un afable demonio que delicadamente me sugiere maldades. No sé si tiene una autorización divina: lo cierto es que no me deja en paz ni un momento. Sabe dar a la tentación atractivos insuperables. Es agudo y oportuno. Como un prestidigitador, saca cosas horribles de los objetos más inocentes y está siempre provisto de extensas series de malos pensamientos que proyecta en la imaginación como rollos de película. Lo digo con toda sinceridad: nunca voy al mal con pasos deliberados; él facilita los trayectos, pone todos los caminos en declive. Es el saboteador de mi vida.

Por si a alguien le interesa, consigno aquí el primer dato de mi biografía moral: un día en la escuela, en los primeros años, la vida me puso en contacto con unos niños que sabían cosas secretas, atrayentes, que participaban con misterio.

Naturalmente, no me cuento entre los niños felices. Un alma infantil que guarda pesados secretos es algo que vuela mal, es un ángel lastrado que no puede tomar altura. Mis días de niño, que decoraron suaves paisajes, ostentan a menudo manchas deplorables. El maligno, con apariciones puntuales de fantasma, daba a mis sueños un giro de pesadilla y puso en los recuerdos pueriles un sabor punzante y criminoso.

Cuando supe que Dios miraba todos mis actos traté de esconderle los malos por oscuros rincones. Pero al fin, siguiendo la indicación de personas mayores, mostré abiertos mis secretos para que fueran examinados en tribunal. Supe que entre Dios y yo había intermediarios, y durante mucho tiempo tramité por su conducto mis asuntos, hasta que un mal día, pasada la niñez, pretendí atenderlos personalmente.

Entonces se suscitaron problemas cuyo examen fue siempre aplazado. Empecé a retroceder ante ellos, a huir de su amenaza, a vivir días y días cerrando los ojos, dejando al bien y al mal que hicieran conjuntamente su trabajo. Hasta que una vez, volviendo a mirar, tomé el partido de uno de los dos trabados contendientes.

Con ánimo caballeresco, me puse al lado del más débil. Aquí está el resultado de nuestra alianza:

Hemos perdido todas las batallas. De todos los encuentros con el enemigo salimos invariablemente apaleados y aquí estamos, batiéndonos otra vez en retirada durante esta noche memorable.

¿Por qué es el bien tan indefenso? ¿Por qué tan pronto se derrumba? Apenas se elaboran cuidadosamente unas horas de fortaleza, cuando el golpe de un minuto viene a echar abajo toda la estructura. Cada noche me encuentro aplastado por los escombros de un día destruido, de un día que fue bello y amorosamente edificado.

Siento que una vez no me levantaré más, que decidiré vivir entre ruinas, como una lagartija. Ahora, por ejemplo, mis manos están cansadas para el trabajo de mañana. Y si no viene el sueño, siquiera el sueño como una pequeña muerte para saldar la cuenta pesarosa de este día, en vano esperaré mi resurrección. Dejaré que fuerzas oscuras vivan en mi alma y la empujen, en barrena, hacia una caída acelerada.

Pero también pregunto: ¿se puede vivir para el mal? ¿Cómo se consuelan los malos de no sentir en su corazón el ansia tumultuosa del bien? Y si detrás de cada acto malévolo se esconde un ejército de castigo, ¿cómo hacen para defenderse? Por mi parte, he perdido siempre esa lucha, y bandas de remordimiento me persiguen como espadachines hasta el callejón de esta noche.

Muchas veces he revisado con satisfacción un cierto grupo de actos bien disciplinados y casi victoriosos, y ha bastado el menor recuerdo enemigo para ponerlos en fuga. Me veo precisado a reconocer que muchas veces soy bueno sólo porque me faltan oportunidades aceptables de ser malo, y recuerdo con amargura hasta dónde pude llegar en las ocasiones en que el mal puso todos sus atractivos a mi alcance.

Entonces, para conducir el alma que me ha sido otorgado, pido con la voz más urgente, un dato, un signo, una brújula.

El espectáculo del mundo me ha desorientado. Sobre él desemboca al azar y lo confunde todo. No hay lugar para recoger una serie de hechos y confrontarlos. La experiencia va brotando siempre detrás de nuestros actos, inútil como una moraleja.

Veo a los hombres en torno de mí, llevando vidas ocultas, inexplicables. Veo a los niños que beben voces contaminadas, y a la vida como nodriza criminal que los alimenta de venenos. Veo pueblos que disputan las palabras eternas, que se dicen predilectos y elegidos. A través de los siglos, se ven hordas de sanguinarios y de imbéciles; y de pronto, aquí y allá, un alma que parece señalada con un sello divino.

Miro a los animales que soportan dulcemente su destino y que viven bajo normas distintas; a los vegetales que se consumen después de una vida misteriosa y pujante, y a los minerales duros y silenciosos.

Enigmas sin cesar caen en mi corazón, cerrados como semillas que una savia interior hace crecer.

De cada una de las huellas que la mano de Dios ha dejado sobre la tierra, distingo y sigo el rastro. Pongo agudamente el oído en el rumor informe de la noche, me inclino al silencio que se abre de pronto y que un sonido interrumpe. Espío y trato de ir hasta el fondo, de embarcarme al conjunto, de sumarme en el todo. Pero quedo siempre aislado; ignorante, individual, siempre a la orilla.

Desde la orilla entonces, desde el embarcadero, dirijo esta carta que va a perderse en el silencio...

Efectivamente, tu carta ha ido a dar al silencio. Pero sucede que yo me encontraba allí en tales momentos. Las galerías del silencio son muy extensas y hacía mucho que no las visitaba.

Desde el principio del mundo vienen a parar aquí todas esas cosas. Hay una legión de ángeles especializados que se ocupan en transmitir los mensajes de la tierra. Después de que son cuidadosamente clasificados, se guardan en unos ficheros dispuestos a lo largo del silencio.

No te sorprendas porque contesto una carta que según la costumbre debería quedar archivada para siempre. Como tú mismo has pedido, no voy a poner en tus manos los secretos del universo, sino a darte unas cuantas indicaciones de provecho. Creo que serás lo suficientemente sensato para no juzgar que me tienes de tu parte, ni hay razón alguna para que vayas a conducirte desde mañana como un iluminado.   .

Por lo demás, mi carta va escrita con palabras. Material evidentemente humano, mi intervención no deja en ellas rastro; acostumbrado al manejo de cosas más espaciosas, estos pequeños signos, resbaladizos como guijarros, resultan poco adecuados para mí. Para expresarme adecuadamente, debería emplear un lenguaje condicionado a mi sustancia. Pero volveríamos a nuestras eternas posiciones y tú quedarías sin entenderme. Así pues, no busques en mis frases atributos excelsos: son tus propias palabras, incoloras y naturalmente humildes que yo ejercito sin experiencia.

Hay en tu carta un acento que me gusta. Acostumbrado a oír solamente recriminaciones o plegarias, tu voz tiene un timbre de novedad. El contenido es viejo, pero hay en ella sinceridad, una lamentación de hijo doliente y una falta de altanería.

Comprende que los hombres se dirigen a mí de dos modos: bien el éxtasis del santo, bien las blasfemias del ateo. La mayoría utiliza también para llegar hasta aquí un lenguaje sistematizado en oraciones mecánicas que generalmente dan en el vacío, excepto cuando el alma conmovida las reviste de nueva emoción.

Tú hablas tranquilamente y sólo te podría reprochar el que hayas dicho con tanta formalidad que tu carta iba a dar al silencio, como si lo supieras de antemano. Fue una casualidad que yo me encontrara allí cuando acababas de escribir. Si retardo un poco mi visita, cuando leyera tus apasionadas palabras tal vez ya no existiría sobre la tierra ni el polvo de tus huesos.

Quiero que veas al mundo tal cual yo lo contemplo: como un grandioso experimento. Hasta ahora los resultados no son muy claros, y confieso que los hombres han destruido mucho más de lo que yo había presupuesto. Pienso que no sería difícil que acabaran con todo. Y esto, gracias a un poco de libertad mal empleada.

Tú apenas rozas problemas que yo examino a fondo con amargura. Hay el dolor de todos los hombres, el de los niños, el de los animales que se les parecen tanto en su pureza. Veo sufrir a los niños y me gustaría salvarlos para siempre: evitar que lleguen a ser hombres. Pero debo esperar todavía un poco más, y espero confiadamente.

Si tú tampoco puedes soportar la brizna de libertad que llevas contigo, cambia la posición de tu alma y sé solamente pasivo, humilde. Acepta con emoción lo que la vida ponga en tus manos y no intentes los frutos celestes; no vengas tan lejos.

Respecto a la brújula que pides, debo aclararte que te he puesto una quién sabe dónde, y que no puedo darte otra. Recuerda que lo que yo podía darte ya te lo he concedido.

Quizá te convendría reposar en alguna religión. Esto también lo dejo a tu criterio. Yo no puedo recomendarte alguna de ellas porque soy el menos indicado para hacerlo. De todos modos, piénsalo y decídete si hay dentro de ti una voz profunda que lo solicita.

Lo que sí te recomiendo, y lo hago muy ampliamente, es que en lugar de ocuparte en investigaciones amargas, te dediques a observar más bien el pequeño cosmos que te rodea. Registra con cuidado los milagros cotidianos y acoge en tu corazón a la belleza. Recibe sus mensajes inefables y tradúcelos en tu lengua.

Creo que te falta actividad y que todavía no has penetrado en el profundo sentido del trabajo. Deberías buscar alguna ocupación que satisfaga a tus necesidades y que te deje solamente algunas horas libres. Toma esto con la mayor atención, es un consejo que te conviene mucho. Al final de un día laborioso no suele encontrarse uno con noches como ésta, que por fortuna estás acabando de pasar profundamente dormido.

En tu lugar, yo me buscaría una colocación de jardinero o cultivaría por mi cuenta un prado de hortalizas. Con las flores que habría en él, y con las mariposas que irán a visitarlas, tendría suficiente para alegrar mi vida.

Si te sientes muy solo, busca la compañía de otras almas, y frecuéntala, pero no olvides que cada alma está especialmente construida para la soledad.

Me gustaría ver otras cartas sobre tu mesa. Escríbeme, si es que renuncias a tratar cosas desagradables. Hay tantos temas de qué hablar, que seguramente tu vida alcanzará para muy pocos. Escojamos los más hermosos.

En vez de firma, y para acreditar esta carta (no pienses que la estás soñando), te voy a ofrecer una cosa: me manifestaré a ti durante el día, de un modo en que puedas fácilmente reconocerme, por ejemplo... Pero no, tú solo, sólo tú habrás de descubrirlo.

Los alimentos terrestres

«Muy sentido estoy del descuido que ha tenido nuestro amigo de mis alimentos...

Mis alimentos es justo que no padezcan ni hallen con ellos ningún fracaso o novedad...

Diga V. m. ¿qué culpa tienen mis alimentos, qué pecado ha cometido mi crédito para que no se paguen muy puntualmente...?

Los mil reales de mis alimentos, de aquí a San Pedro...

Según esto, suplico a V. m. haga con Pedro Alonso de Baena me envíe libranza junta de ocho mil y quinientos reales que montan los meses de mis alimentos de aquí al fin de este año...

Con dos Agustín Fiesco he acabado que escriba a Pedro Alonso de Baena dé lugar a la correspondencia de mis alimentos.

También suplico mire que es bien advertir a nuestro amigo que seiscientos reales cada mes no pueden ser alimentos de un niño de la dotrina...

Que será gran merced para mí excusarme de pesadumbre con ellos, y solicitar mis alimentos de junio por la misma vía...

No hay mulas de retorno para un alimentado...

Por amor de Dios que V. m. trate de la satisfacción de estos hombres y de socorrerme con los alimentos de julio...

Con quinientos reales de aquí a fin de diciembre, no puede pasar una hormiga, cuanto más quien tiene honra...

Mañana entra enero, que da principio al año y a mis alimentos...

Suplico a V. m. haga con el amigo ensanche los alimentos de aquí a octubre...

Pensé que el amigo, con la cuaresma, mudara de condición como de manjar, y veo que procede aun peor con estos alimentos que con los otros, pues se conjura contra los míos, haciéndome ayunar aun los domingos, que perdona la Iglesia...

Los alimentos de este año en la escriptura fueron pocos, pero en la dispensación van siendo menos, porque son ningunos...

Es morir no andar con alimentos anticipados...

Ni es bien cansarle dos veces sobre una cosa que es la que tengo suplicada a V. m. de mis alimentos...

Y compongamos estos mis pobres alimentos de manera que pueda yo comer aunque nunca cene...

Suplico a V. m. ponga remedio en todo esto, que ya no me acuerdo de mí ni de mis alimentos...

(Quiero más una morcilla / que en el asador reviente...)

Yo perezco, y mi crédito más, si V. m. no me socorre como quien es, haciendo que me libren mis alimentos juntos.

Deseo saber si mis alimentos son de condición diferente que los otros o si por desdicha mía soy más glorioso que otros hombres...

Nuestro amigo hace experiencias costosas de mi naturaleza, averiguando sin duda lo que tengo de angélico, pues me deja ayuno tantos días...

Señor mío don Francisco: V. m., que tiene molinos, sabe que no come el molinero del ruido de la cítola, sino del trigo de la tolva...

¿Qué culpa tiene mi comida miserable, de la concurrencia del señor don Fernando de Córdoba y Cardona?

Y algo más que bastará para asegurarse los ensanches que se echaren a mis alimentos...

Suplico a V. m. que se sirva de pedirle de mi parte me haga merced de los alimentos que he de haber este año...

Es invención suya para no sólo alargar los alimentos, pero retardarlos, como lo hace...

No me deje tan impíamente, atenido a tan miserables alimentos...

En materia de mis alimentos he padecido todo este tiempo mil necesidades...

Ya caminamos a cuatro meses de alimentos sin haber visto un maravedí de todos ellos...

Sírvase mandar se me compre a cuenta de mis alimentos cuatro arrobas de azahar seco, digo de lo ya tostado en las alquitaras...

Cuanto a lo que Vuestra merced me ofrece de no desampararme en los alimentos, le beso las manos tantas veces como ellos contienen de maravedís...

Bien fuera razón que me remitiera en esa póliza lo que monta lo caído de mis alimentos, sin dármelos a sorbos...

Yo quedo esperando la fianza de mis alimentos...

De mis alimentos se resta ochocientos reales, digo 850, hasta fin de éste...

He acabado con don Agustín Fiesco que me dé aquí 2,550 reales que montan lo restante de mis alimentos hasta fin de agosto, que es hoy, y el mes de setiembre, que entra mañana, de manera que hasta el fin del dicho mes de setiembre estoy alimentado...

Suplico a V. m. no haya falta en ello, porque va el crédito y la consecuencia para el expediente de unos alimentos...

No es mucho que se me anticipen los alimentos de un mes...

La paga no es muy ejecutiva, ni la seguridad menos que mis alimentos...

¿Me ha de volver las espaldas V. m. y ha de escribir a los Fiescos que me nieguen aún los alimentos?

Para ello es menester echar algunas ensanchas a la provisión de mis alimentos...

No quiso dispensar en tres días de anticipación de alimentos...

Suplícole se sirva de acudirme, que no puedo pagar de ninguna manera con alimentos tan cortos...

Beso las manos de Vuestra merced muchas veces por la anticipación de los alimentos...

Yo suplico a Vuestra merced me haga merced de los dos meses de alimentos perdidos...

Yo estoy peor que Vuestra merced me dejó, y tanto, que ha sido menester vender un contador de ébano para comer estas dos semanas, que puede tardar el desengaño de mis alimentos...

En virtud de Cristóbal de Heredia, no falta quien me fíe el pan, que como con un torrezno de Rute...

No hay luz ni aun crepúsculo de comodidad: noche es en la que vivo, y, lo peor es, sin tener que cenar en ella...

Tengo a V. m., con quien estoy comiendo en un plato; y ojalá fuera ello así, que no estoy sino debajo de su mesa de V. m., comiendo sus meajas y pidiendo ahora que deje caer una rebanada de pan siquiera...

Quejárame a Dios y al mundo, y diránme que don Luis de Góngora soy en cualquier parte, y más en Madrid, donde me mandarán dar alimentos bien pagados...

Beso las manos de vuestra merced por la que me hace de alimentarme...

Porque 800 reales son flacos alimentos para un hombre de cuenta en este lugar...

Y que me hallo a los umbrales del invierno sin hilo de ropa, anticipados mis alimentos mes y medio para poder comer...»

DON LUIS DE GÓNGORA Y ARGOTE, *Epistolario.*

Una reputación

La cortesía no es mi fuerte. En los autobuses suelo disimular esta carencia con la lectura o el abatimiento. Pero hoy me levanté de mi asiento automáticamente, ante una mujer que estaba de pie, con un vago aspecto de ángel anunciador.

La dama beneficiada por ese rasgo involuntario lo agradeció con palabras tan efusivas, que atrajeron la atención de dos o tres pasajeros. Pocos después se desocupó el asiento inmediato, y al ofrecérmelo con leve y significativo ademán, el ángel tuvo un hermoso gesto de alivio. Me senté allí con la esperanza de que viajaríamos sin desazón alguna.

Pero ese día me estaba destinado, misteriosamente. Subió al autobús otra mujer, sin alas aparentes. Una buena ocasión se presentaba para poner las cosas en su sitio; pero no fue aprovechada por mí. Naturalmente, yo podía permanecer sentado, destruyendo así el germen de una falsa reputación. Sin embargo, débil y sintiéndome ya comprometido con mi compañera, me apresuré a levantarme, ofreciendo con reverencia el asiento a la recién llegada. Tal parece que nadie le había hecho en toda su vida un homenaje parecido: llevó las cosas al extremo con sus turbadas palabras de reconocimiento.

Esta vez no fueron ya dos ni tres las personas que aprobaron sonrientes mi cortesía. Por lo menos la mitad del pasaje puso los ojos en mí, como diciendo: «He aquí un caballero.» Tuve la idea de abandonar el vehículo, pero la deseché inmediatamente, sometiéndome con honradez a la situación, alimentando la esperanza de que las cosas se detuvieran allí.

Dos calles adelante bajó un pasajero. Desde el otro extremo del autobús, una señora me designó para ocupar el asiento vacío. Lo hizo sólo con una mirada, pero tan imperiosa, que detuvo el ademán de un individuo que se me adelantaba; y tan suave, que yo atravesé el camino con paso vacilante para ocupar en aquel asiento un sitio de honor. Algunos viajeros masculinos que iban de pie sonrieron con desprecio. Yo adiviné su envidia, sus celos, su resentimiento, y me sentí un poco angustiado. Las señoras, en cambio, parecían protegerme con su efusiva aprobación silenciosa.

Una nueva prueba, mucho más importante que las anteriores, me aguardaba en la esquina siguiente: subió al camión una señora con dos niños pequeños. Un angelito en brazos y otro que apenas caminaba. Obedeciendo la orden unánime, me levanté inmediatamente y fui al encuentro de aquel grupo conmovedor. La señora venía complicada con dos o tres paquetes; tuvo que correr media cuadra por lo menos, y no lograba abrir su gran bolso de mano. La ayudé eficazmente en todo lo posible, la desembaracé de nenes y envoltorios, gestioné con el chofer la exención de pago para los niños, y la señora quedó instalada finalmente en mi asiento, que la custodia femenina había conservado libre de intrusos. Guardé la manita del niño mayor entre las mías.

Mis compromisos para con el pasaje habían aumentado de manera decisiva. Todos esperaban de mí cualquier cosa. Yo personificaba en aquellos momentos los ideales femeninos de caballerosidad y de protección a los débiles. La responsabilidad oprimía mi cuerpo como una coraza agobiante, y yo echaba de menos una buena tizona en el costado. Porque no dejaban de ocurrírseme cosas graves. Por ejemplo, si un pasajero se propasaba con alguna dama, cosa nada rara en los autobuses, yo debía amonestar al agresor y aun entrar en combate con él. En todo caso, las señoras parecían completamente seguras de mis reacciones de Bayardo[1]. Me sentí al borde del drama.

---

[1] Bayardo: Pierre Terrail señor de Bayard, llamado el «caballero sin

En esto llegamos a la esquina en que debía bajarme. Divisé mi casa como una tierra prometida. Pero no descendí. Incapaz de moverme, la arrancada del autobús me dio una idea de lo que debe ser una aventura trasatlántica. Pude recobrarme rápidamente; yo no podía desertar así como así, defraudando a las que en mí habían depositado su seguridad, confiándome un puesto de mando. Además, debo confesar que me sentí cohibido ante la idea de que mi descenso pusiera en libertad impulsos hasta entonces contenidos. Si por un lado yo tenía asegurada la mayoría femenina, no estaba muy tranquilo acerca de mi reputación entre los hombres. Al bajarme, bien podría estallar a mis espaldas la ovación o la rechifla. Y no quise correr tal riesgo. ¿Y si aprovechando mi ausencia un resentido daba rienda suelta a su bajeza? Decidí quedarme y bajar el último, en la terminal, hasta que todos estuvieran a salvo.

La señoras fueron bajando una a una en sus esquinas respectivas, con toda felicidad. El chófer ¡santo Dios! acercaba el vehículo junto a la acera, lo detenía completamente y esperaba a que las damas pusieran sus dos pies en tierra firme. En el último momento, vi en cada rostro un gesto de simpatía, algo así como el esbozo de una despedida cariñosa. La señora de los niños bajó finalmente, auxiliada por mí, no sin regalarme un par de besos infantiles que todavía gravitan en mi corazón, como un remordimiento.

Descendí en una esquina desolada, casi montaraz, sin pompa ni ceremonia. En mi espíritu había grandes reservas de heroísmo sin empleo, mientras el autobús se alejaba vacío de aquella asamblea dispersa y fortuita que consagró mi reputación de caballero.

miedo y sin tacha» (1476-1524). Fue paje del duque Carlos I de Saboya y pasó al servicio del rey de Francia Carlos VIII.

Corrido [1]

Hay en Zapotlán [2] una plaza que le dicen de Ameca, quien sabe por qué. Una calle ancha y empedrada se da contra un testerazo, partiéndose en dos. Por allí desemboca el pueblo en sus campos de maíz.

Así es la Plazuela de Ameca, con su esquina ochavada y sus casas de grandes portones. Y en ella se encontraron una tarde, hace mucho, dos rivales de ocasión. Pero hubo una muchacha por medio.

La Plazuela de Ameca es tránsito de carretas. Y las ruedas muelen la tierra de los baches, hasta hacerla finita, finita. Un polvo de tepetate [3] que arde en los ojos, cuando el viento sopla. Y allí había, hasta hace poco, un hidrante [4]. Un caño de agua de dos pajas, con su llave de bronce y su pileta de piedra.

La que primero llegó fue la muchacha con su cántaro rojo, por la ancha calle que se parte en dos. Los rivales caminaban frente a ella, por las calles de los lados, sin saber que se darían un tope en el testerazo. Ellos y la muchacha

---

[1] Corrido: composición de ocho sílabas con variedad de rimas, propia de México, Venezuela y otros países americanos. Se canta a dos voces, formando terceras, y con acompañamientos instrumentales de gran riqueza rítmica. Procede del romance español.

[2] Zapotlán: mun. Jalisco. En la zona más feraz de Jalisco, terreno casi plano, cerca del lago de Chapala.

[3] Tepetate: cierta clase de piedra amarillenta blanquecina, con un conglomerado pomoso, y que cortada en bloques de cantería, se emplea en construcciones.

[4] Hidrante: anglicismo. No registrado en el Diccionario de la R. A. E.

parecía que iban de acuerdo con el destino, cada uno por su calle.

La muchacha iba por agua y abrió la llave. En ese momento los dos hombres quedaron al descubierto, sabiéndose interesados en lo mismo. Allí se acabó la calle de cada quien, y ninguno quiso dar paso adelante. La mirada que se echaron fue poniéndose tirante, y ninguno bajaba la vista.

—Oiga amigo, qué me mira.

—La vista es muy natural.

Tal parece que así se dijeron, sin hablar. La mirada lo estaba diciendo todo. Y ni ai te va, ni ai te viene. En la plaza que los vecinos dejaron desierta como adrede, la cosa iba a comenzar.

El chorro de agua, al mismo tiempo que el cántaro, los estaba llenando de ganas de pelear. Era lo único que estorbaba aquel silencio tan entero. La muchacha cerró la llave dándose cuenta cuando ya el agua se derramaba. Se echó el cántaro al hombro, casi corriendo con susto.

Los que la quisieron estaban en el último suspenso, como los gallos todavía sin soltar, embebidos uno y otro en los puntos negros de sus ojos. Al subir la banqueta del otro lado, la muchacha dio un mal paso y el cántaro y el agua se hicieron trizas en el suelo.

Ésa fue la merita[5] señal. Uno con daga, pero así de grande, y otro con machete costeño. Y se dieron de cuchillazos, sacándose el golpe un poco con el sarape[6]. De la muchacha no quedó más que la mancha de agua, y allí están los dos peleando por los destrozos del cántaro.

Los dos eran buenos, y los dos se dieron en la madre[7]. En aquella tarde que se iba y se detuvo. Los dos se queda-

---

[5] Merita: (mera). En México y Centroamérica, precisa, justa, exactamente.

[6] Sarape: especie de frazada de lana, o colcha de algodón de colores vivos por lo general, algunas veces con abertura en el centro, para la cabeza.

[7] Se dieron en la madre: dar a uno en la madre: darle en la mera chapa, o en la chapa del alma; herirle en lo sensible, o en lo vivo. Dejar fuera de combate al adversario.

ron allí bocarriba, quién degollado y quién con la cabeza partida. Como los gallos buenos, que nomás a uno le queda tantito resuello.

Muchas gentes vinieron después, a la nochecita. Mujeres que se pusieron a rezar y hombres que dizque iban a dar parte. Uno de los muertos todavía alcanzó a decir algo: preguntó que si también al otro se lo había llevado la tiznada.

Después se supo que hubo una muchacha de por medio. Y la del cántaro quebrado se quedó con la mala fama del pleito. Dicen que ni siquiera se casó. Aunque se hubiera ido hasta Jilotlán de los Dolores[8], allá habría llegado con ella, a lo mejor antes que ella su mal nombre de mancornadora[9].

[8] Jilotlán de los Dolores: mun. Jalisco. Montañoso por las derivaciones de la sierra de Pihuamo, comprende parte del río San Jerónimo, que lo riega con sus afluentes.

[9] Mancornadora: mancornarse: unirse por matrimonio hombre y mujer o por cualquier vínculo aunque no sea legal: en general copularse macho y hembra.

Carta a un zapatero que compuso mal unos zapatos

Estimable señor:

Como he pagado a usted tranquilamente el dinero que me cobró por reparar mis zapatos, le va a extrañar sin duda la carta que me veo precisado a dirigirle.

En un principio no me di cuenta del desastre ocurrido. Recibí mis zapatos muy contento, augurándoles una larga vida, satisfecho por la economía que acababa de realizar: por unos cuantos pesos, un nuevo par de calzado. (Éstas fueron precisamente sus palabras y puedo repetirlas.)

Pero mi entusiasmo se acabó muy pronto. Llegado a casa examiné detenidamente mis zapatos. Los encontré un poco deformes, un tanto duros y resecos. No quise conceder mayor importancia a esta metamorfosis. Soy razonable. Unos zapatos remontados tienen algo de extraño, ofrecen una nueva fisonomía, casi siempre deprimente.

Aquí es preciso recordar que mis zapatos no se hallaban completamente arruinados. Usted mismo les dedicó frases elogiosas por la calidad de sus materiales y por su perfecta hechura. Hasta puso muy alto su marca de fábrica. Me prometió, en suma, un calzado flamante.

Pues bien: no pude esperar hasta el día siguiente y me descalcé para comprobar sus promesas. Y aquí estoy, con los pies doloridos, dirigiendo a usted una carta, en lugar de transferirle las palabras violentas que suscitaron mis esfuerzos infructuosos.

Mis pies no pudieron entrar en los zapatos. Como los de todas las personas, mis pies están hechos de una materia blanda y sensible. Me encontré ante unos zapatos de hierro. No sé cómo ni con qué artes se las arregló usted para dejar mis zapatos inservibles. Allí están, en un rincón, guiñándome burlonamente con sus puntas torcidas.

Cuando todos mis esfuerzos fallaron, me puse a considerar cuidadosamente el trabajo que usted había realizado. Debo advertir a usted que carezco de toda instrucción en materia de calzado. Lo único que sé es que hay zapatos que me han hecho sufrir, y otros, en cambio, que recuerdo con ternura: así de suaves y flexibles eran.

Los que le di a componer eran unos zapatos admirables que me habían servido fielmente durante muchos meses. Mis pies se hallaban en ellos como pez en el agua. Más que zapatos, parecían ser parte de mi propio cuerpo, una especie de envoltura protectora que daba a mi paso firmeza y seguridad. Su piel era en realidad una piel mía, saludable y resistente. Sólo que daban ya muestras de fatiga. Las suelas sobre todo: unos amplios y profundos adelgazamientos me hicieron ver que los zapatos se iban haciendo extraños a mi persona, que se acababan. Cuando se los llevé a usted, iban ya a dejar ver los calcetines.

También habría que decir algo acerca de los tacones: piso defectuosamente, y los tacones mostraban huellas demasiado claras de este antiguo vicio que no he podido corregir.

Quise, con espíritu ambicioso, prolongar la vida de mis zapatos. Esta ambición no me parece censurable: al contrario, es señal de modestia y entraña una cierta humildad. En vez de tirar mis zapatos, estuve dispuesto a usarlos durante una segunda época, menos brillante y lujosa que la primera. Además, esta costumbre que tenemos las personas modestas de renovar el calzado es, si no me equivoco, el *modus vivendi* de las personas como usted.

Debo decir que del examen que practiqué a su trabajo de reparación he sacado muy feas conclusiones. Por ejemplo, la de que usted no ama su oficio. Si usted, dejando aparte todo resentimiento, viene a mi casa y se pone a contemplar mis zapatos, ha de darme toda la razón. Mire usted qué costuras: ni un ciego podía haberlas hecho tan mal. La piel está cortada con inexplicable descuido: los bordes de las suelas son irregulares y ofrecen peligrosas aristas. Con toda seguridad, usted carece de hormas en su taller, pues mis zapatos ofrecen un aspecto indefinible. Recuerde usted, gastados y todo, conservaban ciertas líneas estéticas. Y ahora...

Pero introduzca usted su mano dentro de ellos. Palpará usted una caverna siniestra. El pie tendrá que transformarse en reptil para entrar. Y de pronto un tope; algo así como un quicio de cemento poco antes de llegar a la punta. ¿Es posible? Mis pies, señor zapatero, tienen forma de pies, son como los suyos, si es que acaso usted tiene extremidades humanas.

Pero basta ya. Le decía que usted no le tiene amor a su oficio y es cierto. Es también muy triste para usted y peligroso para sus clientes, que por cierto no tienen dinero para derrochar.

A propósito: no hablo movido por el interés. Soy pobre pero no soy mezquino. Esta carta no intenta abonarse la cantidad que yo le pagué por su obra de destrucción. Nada de eso. Le escribo sencillamente para exhortarle a amar su propio trabajo. Le cuento la tragedia de mis zapatos para infundirle respeto por ese oficio que la vida ha puesto en sus manos; por ese oficio que usted aprendió con alegría en un día de juventud... Perdón; usted es todavía joven. Cuando menos, tiene tiempo para volver a comenzar, si es que ya olvidó cómo se repara un par de calzado.

Nos hacen falta buenos artesanos, que vuelvan a ser los de antes, que no trabajen solamente para obtener dinero de los clientes, sino para poner en práctica las sagradas leyes del trabajo. Esas leyes que han quedado irremisiblemente burladas en mis zapatos.

Quisiera hablarle del artesano de mi pueblo, que remendó con dedicación y esmero mis zapatos infantiles. Pero esta carta no debe catequizar a usted con ejemplos.

Sólo quiero decirle una cosa: si usted, en vez de irritarse, siente que algo nace en su corazón y llega como un reproche hasta sus manos, venga a mi casa y recoja mis zapatos, intente en ellos una segunda operación, y todas las cosas quedarán en su sitio.

Yo le prometo que si mis pies logran entrar en los zapatos, le escribiré una hermosa carta de gratitud, presentándolo en ella como hombre cumplido y modelo de artesanos.

Soy sinceramente su servidor.

Varia invención

*... admite el Sol en su familia de oro
llama delgada, pobre y temerosa.*

QUEVEDO

Hizo el bien mientras vivió

He volcado un frasco de goma sobre el escritorio hoy por la tarde, poco antes de cerrar la oficina, cuando Pedro ya se había ido. Me he visto atareado para dejar todo limpio y reformar cuatro cartas que ya estaban firmadas. También tuve que cambiar la carpeta a un expediente.

Podía dejar para mañana esos quehaceres y encomendárselos a Pedro; sin embargo, me ha parecido injusto: considero que él tiene bastante con el trabajo ordinario.

Pedro es un empleado excelente. Me ha servido durante varios años y no tengo queja alguna de él. Todo lo contrario, Pedro merece, como empleado y como persona, mis mejores conceptos. Últimamente lo he venido notando preocupado, como que desea comunicarme algo. Temo que se halle fatigado o descontento de su trabajo. Para aligerarle un poco sus labores, yo me propongo desde ahora prestarle alguna ayuda. Como tuve que rehacer las cartas manchadas, me di cuenta de que no estoy acostumbrado al manejo de la máquina. Por tanto, me será útil practicar un poco.

Desde mañana, en lugar de un jefe desconsiderado, Pedro tendrá un compañero que le ayude en su trabajo, gracias a que hoy se me ha tirado un frasco de goma y he hecho estas reflexiones.

La volcadura se debió a uno de esos inexplicables movimientos de codo que me han costado ya varios dolores de cabeza. (El otro día rompí un florero en casa de Virginia.)

AGOSTO 3

Este diario debe registrar también cosas desagradables. Ayer volvió a mi despacho el señor Gálvez y me propuso de nuevo su turbio negocio. Estoy indignado. Se atrevió a mejorar su primera oferta casi al doble con tal de que yo consienta en poner mi profesión al servicio de su rapiña.

¡Toda una familia despojada de su patrimonio si yo acepto un puñado de dinero! No, señor Gálvez. No soy yo la persona que usted necesita. Me niego resueltamente y el usurero se marcha pidiéndome una reserva absoluta sobre el particular.

¡Y pensar que el señor Gálvez pertenece a nuestra Junta! Yo poseo un pequeño capital (no es nada comparado con el de Virginia), hecho a base de sacrificios, centavo sobre centavo, pero jamás consentiré en aumentarlo de un modo indecoroso.

Por lo demás, ha sido éste un buen día y durante él he demostrado que soy capaz de cumplir mis propósitos: ser con Pedro un jefe considerado.

AGOSTO 5

Leo con particular interés los libros que Virginia me proporciona. Tiene una biblioteca no muy numerosa, pero seleccionada con gusto.

Acabo de leer un libro: *Reflexiones del caballero cristiano*[1], que sin duda perteneció al esposo de Virginia y que me da una hermosa lección de su aprecio por la buena literatura.

Aspiro a ser digno sucesor de ese caballero que, según las palabras de Virginia, siempre se esforzó en seguir las sabias enseñanzas de tal libro.

---

[1] Probablemente se refiere al *Eschiridión* o *Manual del caballero cristiano* (célebre versión castellana de Dámaso Alonso).

La amistad de Virginia me trae grandes beneficios. Me hace ser cumplido en mis deberes sociales.

No sin cierta satisfacción acabo de enterarme de que el señor Cura, durante una sesión de la Junta Moral a la que no asistí porque me hallaba enfermo, encomió la labor que en ella realizo como director de *El Vocero Cristiano*. Este periódico difunde mensualmente la obra benéfica de nuestra agrupación.

La Junta Moral se ocupa de propagar, ilustrar y exaltar la religión, así como de vigilar estrechamente la moralidad de nuestro pueblo. Hace también serios esfuerzos en bien de su cultura, valiéndose de todos los medios a su alcance. De vez en cuando recae sobre la Junta el cargo de allanar algunos de los obstáculos económicos en que a menudo tropieza nuestro párroco.

Por la alta calidad de sus miras, la Junta se ve precisada a exigir de sus asociados una conducta ejemplar, so pena de caer bajo sanciones.

Cuando un socio falta en cualquier modo a las reglas morales contenidas en los estatutos, recibe un primer aviso. Si no corrige su conducta, recibe un segundo y después un tercero. Éste precede a la expulsión.

Por el contrario, la Junta ha establecido para los socios que cumplen con su deber valiosas y apreciadas distinciones. Es satisfactorio recordar que en largos años sólo ha necesitado un corto número de avisos y una sola expulsión. En cambio, son numerosas las personas cuya vida honesta ha sido elogiada y descrita en las páginas de *El Vocero Cristiano*.

Me es grato referirme en mi diario a nuestra Junta.

Ella ocupa un lugar importante de mi vida, junto al afecto de Virginia.

AGOSTO 7

El que yo escriba un diario se debe también a Virginia. Es idea suya. Ella escribe su diario desde hace muchos años y sabe hacerlo muy bien. Tiene una gracia original para narrar los hechos, que los embellece y los vuelve interesantes. Cierto que a veces exagera. El otro día, por ejemplo, me leyó la descripción de un paseo que hicimos en compañía de una familia cuya amistad cultivamos.

Pues bien: dicho paseo fue como otro cualquiera; y hasta tuvo sus detalles desagradables. La persona que conducía los comestibles sufrió una aparatosa caída y nos vimos precisados a comer un deplorable revoltijo. Virginia misma tropezó mientras caminábamos sobre un terreno pedregoso, lastimándose seriamente un pie. Al regresar nos sorprendió una inesperada tormenta y llegamos empapados y cubiertos de lodo.

Cosa curiosa: en el diario de Virginia no solamente dejan de mencionarse estos datos, sino que los hechos en general aparecen alterados. Para ella el paseo fue encantador desde el principio hasta el fin. Las montañas, los árboles y el cielo están admirablemente descritos. Hasta figura un arroyuelo murmurador que yo no recuerdo haber visto ni oído. Pero lo más importante es que en la última parte de la narración se encuentra un diálogo que yo no he sostenido entonces ni nunca con Virginia. El diálogo es bello, no cabe duda, pero yo no me reconozco en él y su contenido me parece —no sé cómo decirlo— un poco inadecuado a personas de nuestra edad. Además, empleo un lenguaje poético que estoy muy lejos de tener.

Sin duda esto revela en Virginia una alta capacidad espiritual que me es extraña por completo. Yo no puedo decir sino lo que me acontece o lo que pienso, sencillamente, tal como es. De ahí que mi diario no sea, en absoluto, interesante.

AGOSTO 8

Pedro sigue mostrándose un tanto reservado. Extrema su diligencia y me parece que lleva una intención deliberada. Desea pedirme algo y trata de tenerme satisfecho de antemano.

Gracias a Dios he hecho buenos negocios en los últimos

días, y si Pedro es razonable en lo que pida, me será grato complacerlo. ¿Aumento de sueldo? ¡Con mucho gusto!

AGOSTO 10

Sexto aniversario del fallecimiento del esposo de Virginia. Ella ha tenido la gentileza de invitarme a su visita al cementerio.

La tumba está cubierta por un monumento artístico y costoso. Representa una mujer sentada, llorando sobre una lápida de mármol que mantiene en su regazo.

Encontramos el prado que rodea la tumba invadido por yerbajos. Nos ocupamos en arrancarlos y yo conseguí clavarme una espina en un dedo durante la piadosa tarea.

Ya para volvernos descubrí al pie del monumento esta bella inscripción: *Hizo el bien mientras vivió,* que decido tomar como divisa.

¡Hacer el bien, hermosa labor hoy casi abandonada por los hombres!

Volvemos ya tarde del cementerio y caminamos en silencio.

AGOSTO 14

He pasado un agradable rato en casa de Virginia. Hemos charlado de cosas diferentes y gratas. Ella ha tocado en el piano nuestras piezas predilectas.

Todas estas visitas me producen una benéfica impresión de felicidad. Vuelvo de ellas con el espíritu renovado y dispuesto a las buenas obras.

Hago regularmente dones caritativos, pero me gustaría hacer un bien determinado y perfectamente dirigido. Ayudar a alguien de un modo eficaz, constante. Como se ayuda a alguna persona a quien se quiere, a un familiar, quizás a un hijo...

AGOSTO 16

Recuerdo con satisfacción que hoy hace un año que comencé a escribir estos apuntes.

Un año de vida puesto ante mis ojos gracias a la bella alma que vigila y orienta mis acciones. Dios la ha puesto sin duda como un ángel guardián en mi camino.

Virginia embellece lo que toca. Ahora comprendo por qué en su diario aparecen todas las cosas hermosas y distintas.

En aquel día de paseo, mientras yo dormía insensatamente bajo un árbol, a ella le fue dado contemplar las maravillas del paisaje que luego me deslumbraron a través de su descripción.

Consigno este propósito:

Desde ahora voy a procurar yo también abrir mis ojos a la belleza y trataré de registrar sus imágenes. Quizá logre entonces hacer un diario tan hermoso como el de Virginia.

AGOSTO 17

Antes de cerrar mis ojos a las vulgaridades del mundo y de entregarlos a la sola contemplación de la belleza, séame permitido hacer una pequeña aclaración de carácter económico.

Desde un tiempo que considero inmemorial (entonces no conocía a Virginia) he venido usando invariablemente cierta marca de sombreros.

Tales sombreros, de excelente fabricación extranjera, han venido aumentando continuamente de precio. Un sombrero no es cosa que se acabe en poco tiempo, pero como quiera que sea, yo he comprado en los últimos años una media docena por lo menos. Partiendo de la base de seis sombreros y de un aumento progresivo de cinco pesos en el precio de cada uno, hago los siguientes cálculos: si el último sombrero me ha costado cuarenta pesos, descubro que el primero debió costarme solamente quince. Sumando las diferencias sucesivas de cada compra, me doy cuenta de que la fidelidad a una marca de fábrica me ha costado setenta y cinco pesos hasta la fecha.

Respecto a la calidad de estos sombreros no tengo nada que objetar; son espléndidos. Pero me parece deplorable mi falta de economía. Si adopté inicialmente un sombrero de 15 pesos, debí mantener siempre fija tal cantidad y no dejarme llevar por la creciente avidez de fabricantes y vendedores. Debo reconocer que siempre han existido sombreros de ese precio.

Aprovechando la circunstancia de que necesito renovar mi sombrero actual voy a poner las cosas en su sitio: saltaré bruscamente de un precio a otro, realizando una economía de veinticinco pesos.

AGOSTO 18

El único sombrero de quince pesos que pude hallar a mi medida es de color verdoso y bastante áspero.

Por simple curiosidad he preguntado cuál es el precio de mi ex marca favorita. Es nada menos que de cincuenta pesos. ¡Tanto mejor! Para mí, que de ahora en adelante he resuelto ser modesto en mis sombreros, ya puede costar doscientos.

Reflexiono que he realizado un ahorro. En mis negocios sigue manifiesta la ayuda de Dios. En cambio, la Junta atraviesa por circunstancias difíciles. Se ha echado a cuestas la tarea de pavimentar nuestra parroquia y necesita más que nunca el apoyo de sus socios.

Decido hacer un donativo. Veré mañana al señor Cura, quien a más de director espiritual y fundador de nuestra Junta, es actualmente su tesorero.

AGOSTO 19

El señor Cura me distingue con su amistad afable y protectora. Se esfuerza en conocer mis problemas y da a todos ellos acertadas soluciones. Posee un agudo ingenio y gusta de hablar de las cosas por medio de alusiones sutiles. De lo que yo he hecho en mi vida basado en sus opiniones nada he tenido que lamentar hasta la fecha. La amistad que Virginia y yo sostenemos participa de su benevolencia, y él la ilustra con paternales consejos.

Apenas se entera del objeto de mi visita, extrema su bondad y dice que con tales hijos la casa de Dios se mantendrá segura y hermosa en nuestro pueblo.

Creo que he realizado una buena obra y mi corazón se halla satisfecho.

AGOSTO 20

La pequeña herida que me produje cuando fuimos al cementerio no ha cicatrizado. Parece infectarse y se ha desarrollado en dolorosa hinchazón. Como he oído decir que las heridas causadas en la proximidad de los cadáveres suelen ser peligrosas, he ido a ver al doctor.

Tuve que soportar una sencilla pero molesta curación. Virginia se ha preocupado y me demuestra su afecto con delicadas atenciones.

En el despacho, Pedro sigue mostrándose cauteloso, como esperando una oportunidad.

AGOSTO 22

Una página dedicada a nuestra honorable Junta: Acabo de ser honrado con una distinción que se otorga a muy pocos de nuestros asociados. Mi nombre figura ya en la lista de Socios Beneméritos y me ha sido entregado un hermoso diploma que contiene el nombramiento.

El señor Cura pronunció un bello discurso durante el cual evocó la memoria de algunos beneméritos desaparecidos, para invitarnos a seguir su ejemplo. Se detuvo con particular interés elogiando al esposo de Virginia, a quien describió como uno de los miembros más ilustres con que ha contado la agrupación.

Como es natural, estoy muy contento. Virginia misma ha aumentado mi satisfacción mostrándose orgullosa por el honor que acabo de recibir.

Lo único que ha venido a oscurecer este día de felicidad es el hecho siguiente: una de las personas que demostraron más empeño en mi promoción a la categoría de socio benemérito ha sido el señor Gálvez, persona a quien he perdido la estimación y en cuya sinceridad no puedo creer.

Después de todo, tal vez está arrepentido de lo que me propuso y trata de congraciarse conmigo. De ser así le devuelvo mi mano. He mantenido una reserva absoluta en lo que se refiere a sus tenebrosos asuntos.

AGOSTO 26

Por fin, Pedro se decidió. Lo que tenía que decirme es nada menos que esto: se marcha.

Se marcha el día último y para avisármelo ha dejado pasar todos los días del mes, hasta acabar casi con ellos. Sólo tengo unos días para designarle sustituto.

He comprendido que Pedro tiene razón. Se va de nuestro pueblo en busca de un horizonte más amplio. Hace bien. Un muchacho serio y trabajador tiene derecho a buscarse un progreso. Me resigno a deshacerme de él y le entrego una carta en la que hago constar sus buenos servicios. (Pienso otorgarle alguna gratificación.)

Ahora, a buscar un digno sustituto de Pedro, tarea nada fácil.

AGOSTO 27

Desde hace tiempo había pensado tomar una secretaria cuando Pedro dejase mi servicio. Creo contar con una buena candidata.

Conozco a una señorita que me parece muy indicada. Huérfana, se gana el sustento haciendo labores de costura en las casas de familias acomodadas. Sé que la fatiga este trabajo y que no siente afecto por él. Es una muchacha muy seria y proviene de familia honorable. Vive con su vieja tía paralítica.

Hoy por la noche Virginia ha juzgado con ligereza a mi candidata. No intento contradecirla, pero me parece que ha sido un poco injusta.

Sin embargo, tomaré algunos informes con el señor Cura. Él conoce a todo el mundo y me dirá si me conviene como secretaria.

AGOSTO 30

Uno planea las cosas pero Dios las decide. Esta mañana, cuando me disponía a salir en busca del señor Cura, me he visto detenido en la puerta de mi oficina. Nada menos que por la señorita elegida para el empleo.

Sólo he necesitado volver a mirar su rostro para decidirme a darle el trabajo. Es un rostro que expresa el sufrimiento.

La señorita María aparenta por lo menos cinco años más de los que tiene. Es triste contemplar su cara, marchita antes de tiempo. Sus ojos afiebrados dan cuenta de las noches pasadas en la costura. ¡Si hasta podría perderlos! (En este momento me duele recordar las palabras de Virginia.)

Le digo a la señorita que vuelva mañana, que quizá pueda emplearla. Ella lo agradece y antes de marcharse me dice: ¡Ojalá pueda usted ayudarme...!

Estas palabras son simples, sencillas, hasta vulgares. No obstante, al meditarlas, decido que puedo ayudarla, que *debo* ayudarla.

SEPTIEMBRE 4

Mi responsabilidad moral en la Junta sigue en aumento. En el último número de *El Vocero Cristiano* he tenido que publicar un artículo del señor Gálvez. En él se me hacen, aunque indirectamente, claros elogios. Por lo visto, el señor Gálvez parece decidido a reconquistar mi amistad.

En ese mismo periódico, que tiene su sección literaria, apareció bajo el seudónimo de Fidelia un poemita compuesto por Virginia. Se lo había pedido yo unos días antes sin contarle mis intenciones. Según pude darme cuenta, le he dado una grata sorpresa. La composición ha merecido los elogios del señor Cura.

SEPTIEMBRE 7

Me ha ocurrido un pequeño pero significativo desastre. No hay más remedio que aceptarlo.

Con el objeto de distraerme un poco y aligerar la digestión, emprendí un breve paseo al terminar la comida. Me alejé más de lo necesario, y hallándome en las afueras me sorprendió la lluvia. Como no era fuerte regresé poco a poco sin preocuparme. Cuando me faltaban dos calles para llegar a mi casa, arreció de tal modo que me bañé de pies a cabeza.

¡Y mi flamante sombrero! Cuando después de ponerlo a secar fui a buscarlo, lo hallé convertido en una bolsa informe y rebelde que se resistió a entrar en mi cabeza.

Tuve que sustituirlo por mi viejo sombrero, que ha soportado soles y lluvias por más de tres años.

SEPTIEMBRE 10

La señorita María ha resultado una excelente secretaria. Pedro fue siempre un buen empleado, pero sin ofenderlo puedo afirmar que la señorita María le aventaja.

Tiene un modo especial de hacer el trabajo con alegría y da gusto verla siempre contenta y activa. Sólo en su rostro perduran las huellas del viejo cansancio.

SEPTIEMBRE 14

El abominable señor Gálvez ha vuelto a mi despacho. Después de un profundo abrazo, me aplica dos o tres veces el calificativo de benemérito.

El señor Gálvez es un conversador excelente; empleó buen tiempo en saltar de tema en tema.

Yo le escuchaba encantado, y cuando menos lo esperaba, me ha soltado su «asunto».

Después de innumerables rodeos y circunloquios, el señor Gálvez me da llanamente su disculpa por haberse atrevido a fijarme honorarios en el negocio que me propone.

Me pide que yo mismo los señale, tomando en cuenta la categoría del asunto.

Por toda respuesta, invito al señor Gálvez a que salga de mi despacho.

Esta vez no le prometo guardar reserva alguna y no he podido menos que contárselo a Virginia.

SEPTIEMBRE 17

La vida de un soltero está siempre llena de inconvenientes y dificultades. Especialmente si el soltero tiene por divisa un libro como las *Reflexiones del caballero cristiano*. Casi me atrevo a asegurar que para un hombre célibe resulta imposible llevar una vida virtuosa.

Sin embargo, pueden hacerse algunas tentativas. Como mi matrimonio con Virginia ya no está lejano (cosa de unos seis meses), trato de conservarme bajo ciertas disciplinas a fin de llegar a él en un relativo estado de pureza.

No desespero de que me sea dado realizar el tipo de caballero cristiano que debe ser el esposo de Virginia. Ésa es por ahora la norma de mi vida.

SEPTIEMBRE 21

Siempre he sentido un gran vacío en mi corazón. Es cierto que Virginia llena mi existencia, pero ahí, en un determinado sitio, subsiste ese vacío.

Virginia no es una persona a quien yo pueda dar protección. Más bien debo decir que ella me protege a mí, pobre hombre solitario. (Mi madre murió hace quince años.)

Pues bien, ese instinto protector perdura y clama en lo más profundo de mi ser. Abrigo la ilusión de tener un hijo, un hijo que reciba esa ternura sin empleo, que responda a mi llamado oscuro y paternal.

Algunas veces pensé en derivar hacia Pedro esa corriente afectiva. Pero él no me dio nunca ni siquiera la oportunidad filial de reprenderle. Siempre ensanchó con su conducta de empleado diligente la barrera que yo intentaba salvar...

SEPTIEMBRE 25

Virginia es presidenta de «El Juguetero del Niño Pobre», asociación femenina que se dedica a colectar fondos durante el año para organizar por la Navidad repartos de juguetes entre los niños menesterosos.

Ahora se encuentra atareada en la organización de una serie de festivales con el objeto de superar este año los repartos anteriores.

Lejos de desestimar estas actividades, las considero muy

importantes en nuestro medio social, ya que despiertan los buenos sentimientos y favorecen el desarrollo de la cultura. Sólo me gustaría que...

Sin darse cuenta de la gravedad de mis ocupaciones, y guiada sin duda por sus buenos sentimientos, Virginia me pidió que tomase a mi cargo la dirección de tales festejos. Con gran pesadumbre le hice ver que mis quehaceres actuales, la profesión, la Junta y el *Vocero,* no me permitían complacerla.

Ella no pareció tomar en cuenta mis disculpas y, medio en serio, medio en broma, se ha lamentado de mi falta de humanidad.

SEPTIEMBRE 27

Estoy verdaderamente confundido. La discreción es mi elemento y me gusta exigirla de las personas que aprecio.

Hoy recibí una carta del señor Gálvez, seca, ofensiva, y no sé por qué artes, atenta. En ella me invita sencillamente a que guarde silencio sobre lo que él llama «un asunto serio entre personas honorables». Se refiere a la porquería que me propuso. Yo no sé hasta qué punto la palabra «honorables» sea susceptible de extenderse; por elástica que sea, no puede abarcarnos juntos al señor Gálvez y a mí.

La carta termina de este modo: «Y mucho le agradeceré recomendar discreción a cierta persona, con respecto a este asunto.» Y se atreve a firmar: «Su afectísimo y atento amigo y consocio, etcétera.»

¡Ay Virginia, cómo a mi pesar vengo a conocer tus defectos! Sin duda alguna, el señor Gálvez tiene razón. Es un pillo, pero tiene razón. También tiene derecho a exigir mi reserva. Haré lo que pueda. Impediré que su conducta se divulgue.

SEPTIEMBRE 28

Antes, es decir, hasta hace muy poco, yo no me atrevía a concebir una Virginia con defectos. Procediendo ahora de un modo lógico y humano, trataré de conocer, estudiar y por lo pronto perdonar sus defectos, esperando que un día pueda remediarlos. Por ahora me concreto a exponer este rasgo: Virginia tiene la costumbre de guiarse siempre por «lo que dice la gente» y norma siempre su criterio en el rumor general.

Por ejemplo, al hablar de una persona nunca dice: «me parece esto o lo otro», sino que invariablemente expresa: «dicen de fulano o de fulanita, me dijeron esto o lo de más allá acerca de zutanita, oí decir esto de menganita». Y así constantemente. Pido a Dios que no disminuyan mis reservas de paciencia.

El otro día Virginia dijo esto refiriéndose a la señorita María: «Quizá estoy equivocada, pero con ese entrar y salir de todas las casas, se decían ciertas cosas de ella.»

OCTUBRE 1º

El señor Cura, que extiende su mirada vigilante sobre la Junta Moral, a pesar de ser su guiador y jefe espiritual, quiere que ésta tenga su manejo independiente.

Hoy tuvimos una importante asamblea. Hubo necesidad de elegir un presidente interino debido a la prolongada ausencia de la persona que ocupa el cargo de vicepresidente. (Nuestro presidente murió a principios de este año; q.e.p.d.)

Contra lo que normalmente ocurría en nuestra Junta, la tarea de elegir presidente se ha vuelto embarazosa en virtud de una lamentable coincidencia que se ha repetido en los últimos cuatro años con pasmosa regularidad.

Nuestros cuatro últimos presidentes han muerto a principios de año, poco tiempo después de nombrados. Entre los socios ha venido desarrollándose el supersticioso temor de ocupar la presidencia.

Ahora, tratándose de un presidente interino, la cosa no parecía revestir ninguna gravedad. Sin embargo, hasta las personas que por su escasa capacidad intelectual estaban a cubierto de cualquier peligro manifestaban ostensiblemente su nerviosidad.

Fueron dos los socios que habiendo resultado electos, renunciaron al honroso cargo, alegando falta de méritos y de tiempo para desempeñarlo.

La Junta corría un grave riesgo, y entre la numerosa concurrencia circulaba un insistente y angustioso temor. El señor Cura parecía sumamente nervioso y se pasaba de vez en vez su pañuelo por la frente.

La tercera votación, cuyo resultado se esperaba casi como una sentencia, designó como presidente interino nada menos que al señor Gálvez. Un aplauso, esta vez más nutrido que los anteriores, acompañó el aviso dado con voz trémula por el señor Cura. Ante el asombro general, el señor Gálvez no solamente aceptó su elección, sino que la agradeció efusivamente como una «inmerecida distinción». Ofreció trabajar con empeño en bien de nuestra causa y para ello solicitó el apoyo de todos los socios pero muy especialmente la cooperación de los beneméritos.

El señor Cura tuvo un suspiro de alivio, se pasó una última vez el pañuelo por la frente y contestó a las palabras del señor Gálvez diciendo que teníamos ante los ojos a «un heroico legionario de las huestes cristianas».

La sesión se levantó en medio del general beneplácito. Yo recuerdo con repugnancia el abrazo de felicitación que me vi precisado a dar al señor Gálvez.

OCTUBRE 5

Me he dado cuenta de que nunca podré ser como Virginia y de que tampoco me gustaría llegar a serlo.

Para ver solamente la belleza hay que cerrar los ojos por completo a la realidad. La vida ofrece un bello paisaje de fondo, pero sobre él se desarrollan miles de hechos tristes o inmundos.

OCTUBRE 7

Creo que esto de escribir diarios está de moda. Accidentalmente he descubierto sobre la mesa de la señorita María una libreta que, cuando menos lo pensé, tenía abierta ante mis ojos. Me di cuenta de que eran apuntes personales y quise cerrarla. Pero no pude dejar de leer unas palabras que se me han quedado grabadas y que son éstas: «Mi jefe es muy bueno conmigo. Por primera vez siento sobre mi vida la protección de una persona bondadosa.»

La conciencia de que me hallaba cometiendo una grave falta superó mi imperdonable curiosidad. Dejé la libreta en donde estaba y quedé sumido en un estado de conmovida perplejidad.

¿De modo que hay alguien en el mundo a quien yo doy protección? Me siento próximo a las lágrimas. Evoco el dulce rostro ojeroso de la señorita María y siento que de mi corazón sale una corriente largo tiempo contenida.

En realidad, debo preocuparme un poco más de ella, hacer algo que justifique el concepto en que me tiene. Por lo pronto, voy a sustituir la fea mesa que ocupa por un moderno escritorio.

OCTUBRE 10

Mis visitas a casa de Virginia transcurren de un modo tan normal, que renuncio a describirlas.

Estoy un poco resentido con ella. Ha tomado últimamente la costumbre de hacerme ciertas recomendaciones. Ahora, por ejemplo, se refirió a un aire distraído que adopto cuando camino y que, según ella, me hace tropezar con las personas y a menudo hasta con los postes. Además, Virginia ha adquirido simultáneamente un loro y un perrito.

El loro no sabe hablar todavía y profiere desagradables chillidos. El mayor deleite de Virginia consiste en enseñarlo a decir algunas palabras, entre ellas mi nombre, cosa que no me gusta.

Éstas son verdaderas pequeñeces, lo sé, son hechos sin importancia que no dañan el concepto en que la tengo ni disminuyen mi afecto. No obstante trataré de corregirlas.

OCTUBRE 11

El perrito no es menos que el loro. Anoche, mientras Virginia tocaba en el piano la *Danza de las horas,* el animalito se dedicó pacientemente a destruir mi sombrero. Cuando terminó la ejecución, entró corriendo a la sala con el forro y las cintas en el hocico. Es cierto que mi sombrero estaba ya viejo, pero me ha parecido mal que Virginia festejara la ocurrencia.

Esta vez no me he puesto a calcular, y en vista del mal resultado que me dio la economía en la ocasión pasada, he comprado un sombrero de mi marca predilecta. Tendré cuidado con él cuando vaya a casa de Virginia.

OCTUBRE 15

El señor Cura, aprovechando que nos hemos encontrado accidentalmente en la calle, me ha manifestado su parecer acerca de que Virginia y yo anticipemos la fecha de nuestro matrimonio. En esta ocasión no ha utilizado el sistema de alusiones delicadas a que es tan adicto.

Como conclusión, me ha dicho que los bienes de Virginia necesitan de una atención más cuidadosa.

Yo no veo una razón justa de anticipar tal fecha; sin embargo, hablaré con ella sobre el asunto. Respecto a los bienes, deseo prestarles una atención extremada, pero estrictamente profesional.

OCTUBRE 18

Me acabo de enterar de una cosa sorprendente: el marido de Virginia dejó a su muerte tres hijos ilegítimos.

Me hubiera negado a creer tal cosa si no fuera una persona responsable quien me lo ha contado.

La madre de esos niños ha muerto también y ellos viven, por tanto, en el más completo abandono.

Vagabundean descalzos por el mercado y ganan el sustento de cualquier modo, realizando algunos quehaceres humillantes.

Me asalta una pregunta angustiosa: ¿Lo sabrá Virginia?

Y si lo sabe, ¿puede seguir repartiendo juguetes con la conciencia tranquila, mientras se mueren de hambre los hijos de su marido?

¡El marido de Virginia! ¡Un Benemérito de la Junta! ¡El asiduo lector de las *Reflexiones*! ¿Será posible? Resuelvo tomar algunos informes.

OCTUBRE 19

Me resisto a creer en la salvación del esposo de Virginia, después de haber contemplado las tres escuálidas y picarescas versiones de su rostro. La grave fisonomía del difunto aparece en estas caras muy deformada por el hambre y la miseria, pero bastante reconocible.

Yo no puedo hacer nada aún por esas criaturas, pero en cuanto me haya casado, tomaré bajo mi responsabilidad su rescate. De cualquier modo, pienso hablar con Virginia sobre este hecho que deshonra el nombre que aún lleva.

OCTUBRE 24

La señorita María, que cada día pone algo de su parte para aumentar la estimación que le profeso, ha realizado importantes mejoras en la oficina. Tiene el instinto del orden. Nuestro antiguo método de archivar la correspondencia ha sido cambiado por un sistema moderno y ventajoso. La vieja máquina de escribir ha desaparecido y en su lugar he comprado otra que es un deleite manejar. Los muebles ocupan lugares más apropiados y el conjunto presenta un aspecto remozado y agradable.

Ella se ve contenta en su nuevo escritorio, pero la huella del sufrimiento no desaparece de su rostro. Le pregunto: «¿Tiene usted algo, señorita? ¿Sigue usted trabajando por las noches?» Ella sonríe débilmente y responde: «No, no tengo nada, nada...»

OCTUBRE 25

He reflexionado que el sueldo de la señorita María no es, ni con mucho, decoroso. Sospecho que sigue cosiendo y desvelándose.

Como la he tomado bajo mi responsabilidad indirecta, resolví aumentar su sueldo esta mañana. Me dio las gracias con tal turbación, que temo haberla lastimado. Al buscar una secretaria he dado con una bella alma femenina.

Además, el rostro pálido de la señorita María es el más puro semblante de mujer que me ha sido dado contemplar.

OCTUBRE 27

Mi vida de soltero corre hacia su fin. No faltan ya cuatro, sino dos meses, para casarme con Virginia. Anoche lo hemos acordado, tomando en cuenta la sugestión del señor Cura.

Quise aprovechar la oportunidad para hablarle de los niños, pero no hubo manera de hacerlo. Ella se ocupó en hacer una vez más el panegírico de su marido.

Seguramente ignora la existencia de las criaturas. ¿Cómo hablarle de tal asunto?

OCTUBRE 28

La idea de que voy a casarme no llega a ser todo lo grata que me resultaba viéndola a distancia. El soltero no muere fácilmente dentro de mí.

Y no es que me halle descontento de Virginia. Vista serenamente, ella responde al ideal que me he formado. Defectos, claro que los tiene. Ahí está su falta de discreción y la ligereza de sus juicios. Pero esto no es nada capital. Así, pues, me caso con una mujer virtuosa y debo estar satisfecho.

OCTUBRE 30

En este día he sabido dos cosas que tienden a amargar prematuramente mi vida matrimonial. Provienen de fuente femenina y su veracidad no es, por lo mismo, muy de recomendarse. Pero el contenido es inquietante.

La primera es ésta: Virginia sabe perfectamente lo de los niños abandonados, su origen y su miseria.

La segunda noticia es de carácter íntimo y se refiere a la

poca fortuna que tuvo Virginia en la maternidad. Yo sabía que sus dos hijos habían muerto pequeños. Pues bien, he sabido que ambos niños no llegaron a nacer. Al menos de un modo normal.

Respecto a las dos informaciones debo decir que me mantengo incrédulo y que no veo en ellas sino la pérfida labor de la maledicencia. Esa maledicencia que corroe y destruye a las pequeñas ciudades, disgregando sus elementos. Ese afán anónimo y general de dañar reputaciones haciendo circular la moneda falsa de la calumnia.

(Mi cocinera Prudencia es en esta casa el termómetro sensible que registra todas las temperaturas morales del vecindario.)

OCTUBRE 31

Toda mi capacidad mental está resolviendo los graves problemas de orden económico y material a que ha dado origen mi próximo matrimonio. ¡Cómo se va el tiempo!

Imposible hacer aquí el inventario de mis preocupaciones. Este diario no tiene ya sentido. Apenas me case, he de destruirlo. (No, quizá lo conserve como un recuerdo de soltero.)

NOVIEMBRE 9

Algo grave ocurre a mi alrededor. Ayer apenas sospechaba nada. Hoy mi tranquilidad está destruida.

Juraría que hay algo en torno mío, que algún acontecimiento desconocido me sitúa de pronto en el centro de la expectación general. Siento que a mi paso por las calles levanto una nube de curiosidad, que luego se deshace a mis espaldas en lluvia de comentarios malévolos. Y no es por mi matrimonio, eso lo sabe todo el mundo y a nadie interesa. No, esto es otra cosa y creo que la tormenta se ha desatado hoy mismo, durante la Misa Mayor, a la que tengo la costumbre de asistir. Ayer todavía disfrutaba de paz y hacía cálculos. Ahora...

Me vine de la iglesia casi huyendo, perseguido por las miradas, y aquí estoy desde hace horas preguntándome la causa de tal malevolencia. No he tenido el valor de salir a la calle.

Bueno, ¿acaso no tengo la conciencia tranquila? ¿He robado? ¿He asesinado? Puedo dormir en calma. Mi vida está limpia como un espejo.

NOVIEMBRE 10

¡Qué día, Dios mío, qué día!

Me levanto temprano, después de un desvelo casi absoluto, y me marcho a la oficina un poco antes de la hora acostumbrada. En el trayecto, caen otra vez sobre mí las miradas maliciosas. Creo perder la cabeza. Ya en el despacho me tranquilizo un poco. Estoy a cubierto y elaboro un plan de investigación.

De pronto, la puerta se abre bruscamente y penetra una señorita María que me cuesta trabajo reconocer. Viene sin aliento, como el que huye de un gran peligro y se refugia en la primera puerta que cede a su paso. Su rostro está más pálido que nunca y las ojeras invaden su palidez como dos manchas de muerte.

La sostengo en mis brazos y la hago sentarse. Estoy trastornado. Ella me mira intensamente a los ojos y rompe a llorar.

Llora con violencia, como quien cede a un sentimiento largo tiempo contenido y que ya no se cuida de reprimir. Su llanto me conmueve hasta tal punto que no puedo ni siquiera hablar.

Su cuerpo está convulso de sollozos, su cabeza se estremece entre las manos húmedas y llora como si expiase las maldades del mundo.

Yo me olvido de todo y la contemplo. Recorro con la vista su cuerpo agitado y mis ojos se detienen atónitos sobre la curva de su vientre.

Mis pensamientos se trasladan de la sombra a la luz penosamente.

El vientre, apenas abultado, me va dando poco a poco todas las claves del drama.

En mi garganta aletea una exclamación que luego se resuelve en sollozo. ¡Desdichada!

La señorita María no llora ya. Su rostro está bello de una belleza inhumana y lastimera. Se mantiene silenciosa y sabe que no hay palabras en la tierra que puedan convencer a un hombre de que ella es inocente.

Sabe también que la fatalidad, el amor y la miseria no bastan para disculpar a una mujer que ha perdido su pureza.

Sabe, asimismo, que al idioma del llanto y el silencio no hay palabras humanas que puedan superarlo. Lo sabe y permanece silenciosa. Lo ha puesto todo en mi mano y espera sólo de mí.

Afuera, el mundo se bambolea, se derrumba, desaparece. El verdadero universo está en esta pieza y ha brotado lentamente de mi corazón.

No sé cuánto tiempo duró nuestro coloquio, ni cómo fue interrumpido por el lenguaje corriente. Sólo sé que María contaba conmigo hasta el final.

Poco después recibo dos cartas, póstumos mensajes del mundo que habitaba. Los polos de este mundo, Virginia y la Junta, se unen al clamor general que me imputa una ignominia.

Estas dos cartas no me producen indignación ni pena alguna; pertenecen a un pasado del cual ya nada me importa.

Me doy cuenta de que no hace falta ser culto ni instruido para comprender por qué no existe la justicia en el mundo y por qué todos renunciamos a ejercerla. Porque para ser justo se necesita acabar muchas veces con el bienestar propio.

Como yo no puedo reformar las leyes del mundo ni rehacer el corazón humano, tengo que someterme y transar. Abolir mis verdades duramente alcanzadas y devolverme al mundo por el camino de su mentira.

Voy entonces a ver al señor Cura. Esta vez no iré en busca de consejos, sino a hacer respirable el aire que necesito. A gestionar el derecho de seguir siendo hombre, aunque sea al precio de una falsedad.

NOVIEMBRE 11

Después de mi entrevista con el señor Cura, la junta ya no tendrá que seguir enviándome sus avisos morales. Ya he confesado el pecado que hacía falta.

Si yo hubiese consentido en abandonar una infeliz a su propia desgracia, gozaría ahora en restaurar mi reputación y en reconstruir mi ventajoso matrimonio. Pero ni siquiera me he puesto a pensar en la parte de culpa que ella puede tener en su desdicha. Me basta saber que alguien se acogió a mi protección en el más duro trance de su vida.

Soy feliz porque descubro que vivía bajo una interpretación falsa y timorata de la existencia. Me he dado cuenta de que el ideal de caballerosidad que me esforzaba en alcanzar no coincide con los sentimientos puros del hombre verdadero.

Si Virginia, en vez de su maligna carta, hubiera dicho «no lo creo», yo no habría descubierto que vivía una vida equivocada.

NOVIEMBRE 26

María iba a coser en todas las casas decentes de la ciudad. Tal vez en una de ellas exista el canalla solapado que por medio de una vileza sacó a la superficie el hombre que yo llevaba dentro de mí sin conocerlo.

Ese canalla no podrá quitarme de las manos el hijo que María lleva en su seno, porque lo he hecho mío ante las leyes humanas y divinas.

Pobres leyes continuamente burladas, que han perdido ya su significado excelso y primitivo.

NOVIEMBRE 29

Hoy, por la mañana, ha muerto el señor Gálvez, presidente interino de la Junta Moral.

Su muerte repentina ha causado profunda impresión, pues distaba de ser un viejo y tenía cierto gusto en hacer obras benéficas. (A él se debe el hermoso cancel de la parroquia.) Su reputación, no obstante, nunca se mantuvo muy limpia a causa de sus negocios de usura.

Yo mismo hice alguna vez juicios severos de su conducta y, aunque tuve experiencias para cimentarlos, creo haber sido un tanto excesivo. Se le preparan solemnes funerales. Que Dios le perdone.

NOVIEMBRE 30

Esta tarde, cuando desde la ventana de nuestra casa veíamos pasar el cortejo fúnebre del señor Gálvez, noté que el rostro de María se alteraba.

Había en él un sentimiento de dolor que preludiaba una sonrisa lejana. Finalmente, en su rostro ya sombrío, los ojos se arrasaron. Luego apoyó blandamente en mi pecho su cabeza.

¡Dios mío, Dios mío, lo perdonaré todo, lo olvidaré todo, pero déjame sentir esta alegría!

DICIEMBRE 22

Después de la muerte de su quinto presidente, la Junta Moral se hallaba en muy grave riesgo de sucumbir. El señor cura tuvo que comprender que solamente un suicida podría hacerse cargo de la presidencia.

Gracias a una hábil medida la Junta ha subsistido. Funciona ahora por medio de un consejo directivo, que integran ocho personas responsables.

He sido invitado a formar parte de ese consejo, pero me vi en el caso de declinar la oferta. Tengo a mi lado una mujer joven a quien cuidar y atender. No estoy ya para más juntas y consejos directivos...

DICIEMBRE 24

Pienso en los tres pequeños miserables que vagan por la ciudad mientras me preparo a recibir un niño que también iba destinado al abandono.

Engendrados sin amor, un viento de azar ha de arrastrarlos como hojarasca, mientras que allí en el cementerio, al pie del bello monumento, una inscripción se oscurece bajo el musgo.

216

El cuervero

Los cuervos sacan de la tierra el maíz recién sembrado. Tambien les gusta la milpita[1] tierna, esas tres o cuatro hojitas que apenas van saliendo del suelo.

Pero a los cuervos es muy fácil espantarlos. Nunca andan más de tres o cuatro en todo el potrero[2] y se echan de ver desde lejos. Hilario los distingue entre los surcos y les avienta una piedra con su honda. Cuando un cuervo vuela, los demás se van también gritando asustados.

Pero a las tuzas[3] ¿quién las ve? Son del color de la tierra. A veces uno cree que es un terrón. Pero luego el terrón se mueve, se va corriendo, y cuando Hilario levanta la chispeta, la tuza está en lo más hondo de su agujero. Y las tuzas se lo tragan todo. Los granos de la semilla, la milpa chiquita y grande. Los jilotes[4] y hasta las mazorcas. Dan guerra todo el año. Tienen dos bolsas, una a cada lado del pecho, y allí se meten todo lo que roban. A veces puede uno matarlas a piedrazos, porque se han metido un molcate[5] en cada bolsa y apenas pueden caminar.

---

[1] Milpita: milpa: sementera o plantación de maíz; maizal.

[2] Potrero: terreno acotado y destinado al sostenimiento de ganados, especialmente de engorde.

[3] Tuza: roedor de México, muy conocido; especie de rata que construye habitaciones subterráneas en las galerías, con las raíces que roe, por lo cual es sumamente nocivo a la agricultura.

[4] Jilote: cabellitos de la mazorca de maíz tierno, en México.

[5] Molacate: mazorca pequeña del maíz, que no alcanza completo desarrollo.

A las tuzas hay que estarse espiándolas enfrente de su agujero, con la escopeta bien cebadita. Al rato sacan la cabeza y parece que se ríen enseñando sus dos dientes largos y amarillos. Hay que pegarles el balazo en la mera cabeza para que queden bien muertas, sin moverse. Porque tuza que se mete a su agujero es tuza perdida. Y no porque no se muera, que eso lo mismo da, sino porque Hilario no podrá cortarle la cola.

Los tuceros ganan según las colas que le entregan al patrón cada noche. Antes las pagaban a diez centavos. Si se mataban cinco o seis la cosa parecía bien. Pero de allí hay que tomar lo de la pólvora, lo de la munición y los petardos. Y entre los tiros que se jierran[6] y las tuzas que se van para adentro, pues hay que entregar cada noche diez o doce colas cuando menos. Cuando al tucero le va muy mal y no lleva ni una cola, el patrón le da veinticinco centavos por la cuervada.

—Le aseguro, don Pancho, que maté como una docena. Pero ayjo, hay unas reteduras[7]; por más que les desbarate la maceta[8] todavía se me pelan.

—¿Cuántas colas te apunto, Layo?

—Fíjese don Pancho, que maté como doce. Ya mero me daban ganas de ponerme a escarbar para sacarlas...

—Pero colas, ¿cuántas trajiste?

—Pues cuatro nomás, don Pancho.

—Bueno, pues son cuarenta fierros, Hilario. ¿Te los apunto para el sábado o los quieres de una vez?

—Pues mejor démelos.

—Diez, veinte, treinta, cuarenta, Layo. A ver si mañana te va mejor. Jíncales el tejazo en la mera cabeza. Que pases buena noche.

Cuarenta centavos servían para mucho, cuando valía a diez centavos el decílitro de alcohol. Cuando uno se ha pasado todo el día en el rayo del sol matando una docena de

---

[6] Jierran: yerran, fallan el tiro. Probablemente es una forma vulgar derivada de yerro.

[7] Reteduras: rete: partícula inseparable de ponderación mayor que re; un tanto menor que réquete o requete. De uso antiguo en el castellano.

[8] Maceta: En sentido figurado, la cabeza.

tuzas para que le paguen nomás cuatro, dan ganas de echarse un trago, siquiera para no oír lo que diga la vieja. Porque si uno llega con cuarenta centavos, pues de todos modos hay pleito, y así, pues de una vez que costié[9].

—A ver Tonino, échate uno de a quinto, pero cárgale la mano que ya me anda.

—Eipa Layo, ¿y luego yo aquí nomás viendo?

—En vez de uno que sean dos, Tonino. ¿Quiúbole Patricio, pues qué pasó contigo?

—Pues ái nomás dándole, Layo. ¿Cuántas te matastes ora?

—Me lleva... Maté como doce y casi todas se me pelaron.

—¿Y luego no les jincastes bien?

—No les jincastes... Y en la mera mazorca, pero tú ya sabes Patricio, las tuzas son más duras que los gatos. Oye, Tonino, tráenos otros dos, pero bien serviditos hombre, a éstos no les pusistes nada de mecha.

—No, Layo, la mera verdad tú eres rete tarugo. Yo también tú sabes que fui tucero con don Pancho y no sacaba ni para el nistamal[10]. Pero luego le hallé el modo de fregar[11] al viejo...

—¿Y cómo le hicistes?

—Pues nada, que me iba al rancho de Espinosa, allá por el Camino del Agua. Allí es un hervidero de tuzas; mataba como veinte y luego se las cobraba a don Pancho como si fueran de su potrero.

—Ya ni la friegas.

—Fíjate que el viejo se ponía recontento. ¡Le daba un gusto! Ponía toda la ringlera de colitas sobre la mesa y me decía: «ya nos las estamos acabando a estas hijas de la sonaja. Dales duro, Patricio, tráeme el colerío aunque me dejes sin un quinto».

Sin un quinto, viejo méndigo... Mas que le llevara todas las tuzas, no digo las del rancho de Espinosa, sino todas las

---

[9] Costié: costee.

[10] Nistamal: nixtamal: maíz con el cual se hacen las tortillas, cocido en forma y punto convenientes, con agua de cal o de ceniza, para hacerle soltar el ollejo.

[11] Fregar: fastidiar, molestar.

que hay en el llano, ni se le echaba de ver al viejo, aunque me las pagara a peso. Como quien le quita un pelo a un gato.

—Oye, Tonino, esto no emborracha nada. Tráete otros dos, pero que no te tiemble la mano, vale. Échale del que raspa o mejor nos vamos con el Guayabo.

—Aquí están, Layo, y son treinta de los seis tepaches[12].

—Mira qué Tonino este tan desconfiado. ¿Pues quién te dijo que no te voy a pagar?

—Págame, págame y no estés alegando.

—Pos hay van cuarenta de una vez para que te traigas otros dos, nomás que no se te vaya a olvidar...

—Oye Layo, esto parece plática de cueteros[13]. Sácate los cigarros...

—¿Y luego pues, por qué dejastes tú lo de la tuceada?

—No, mano, pues el viejo supo de dónde venían las colas y me dio para la calle.

—¿Y cómo estuvo?

—Pues nada, que el tucero de Espinosa, que la llevaba bien conmigo, un día se enojó y dijo que dizque yo me estaba acabando las tuzas, que ya las tenía rete ariscas y que él no mataba ya casi ninguna. Y seguro se rajó, porque al otro día, bueno pues mejor ni te cuento. El viejo se puso negro y hasta quería meterme al bote.

—¿Y qué pasó?

—Pues fíjate que el que estaba sembrando lo de Espinosa le pagó a don Pancho las colas que yo le había vendido. Y ni tantito que dudo que don Pancho le cobró de más porque ese viejo jijo la tray desdoblada.

—Y ora ¿qué te haces?

—Pues le estoy dando a los adobes, mano, ni modo. Y ésta sí que es una friega. Allí con don Tacho, arriba de la Reja... en las faldas del cerro...

—Bueno, pues yo creo que de todos modos vale más darle a los adobes. Allí cuando menos está el caramba lodo y

---

[12] Tapache: En México, bebida de piña, azúcar negra y agua, de fermentación variable. Originalmente se preparaba con maíz.

[13] Cuatero: pronunciación vulgar por *cohetero*.

no hay más que pegarle a dar. Mientras que las tuzas, esas hijas de la mañana hay días que no salen ni a mentadas.

—Pos si quieres darte una caladita, larga a don Pancho y vente mañana para la Reja. De allí se divisa la adobera...

—Pero si no sé hacer adobes.

—Pues le metes a la pariegüela, que al cabo para cargar cualquiera sabe. O le das a la amasada, como quieras.

—Bueno, mañana nos vimos[14], tempranito.

—¡Pues qué argüende[15] es ése y qué hace aquí tanta gente, mama, que parece velorio!

—Válgame Dios, Layo, no digas eso. ¿Luego no estás oyendo llorar a la criatura?

—¿A poco ya nació?

—Cállate, que ésta se puso remala con un calenturón. No sea por doña Cleta que estuvo aquí todo el día, tú ni la habías alcanzado.

—¿Y qué fue?

—Pues muchachito, pero nació lastimadito del ombliguito.

—Pues que lo curen.

—Ya le pusieron tantita manteca con calecita y azúcar, que es rebuena para lo hinchado.

La mujer de Hilario está como la tierra seca, antes de que le llueva. No hace caso de nada. La criatura llora y llora. Doña Cleta dijo que más valía hablarle al doctor si para mañana sigue llorando. Por su parte, ya hizo ella lo que pudo. El niño nació también medio eclipsado de los ojos, parece que los tiene pegados. La madre de Hilario dice también que hay que llamar al doctor.

—Bueno, mama, pues mañana llévate la chispeta y empéñala con Tonino, bien te dará cinco pesos.

La mujer de Hilario entreabrió los ojos:

—¿La chispeta? ¿Y luego la tuceada, Layo?

—¡Qué tuceada ni que ojo de hacha! Eso se acabó. Ójala y que las tuzas y los cuervos le tragaran toda la labor a ese jijo de don Pancho. ¡Yo nomás dale y dale todo el día ma-

---

[14] Vimos: vemos.
[15] Argüende: chisme, enredo.

222

tando tuzas jolinas, que para que no se las paguen a uno lo mismo da que tengan cola o que no tengan!

—¿Y qué vamos a hacer entonces nosotros, Layo?

—Mañana le pego a los adobes con aquel Patricio, en la adobera de don Tacho, allá por la Reja.

—Pero si tú no sabes hacer adobes, Layo.

—Pues para meterle macizo a la parigüela, no se necesita saber, y tampoco para batir el lodal. Ni que fuera yo tan tarugo. Eso sí, hacer adobes no es lo mismo que estarse sentado en el sol espiando las tuzas. ¡Que se vayan a la tiznada las tuzas!

El agua que viene por el lado de las Peñas es tormenta segura. La que viene por el lado de Santa Catarina, bien puede no pegar. La de las Peñas no falla. El cerro de las Peñas está parado contra el cielo. Y el viento retacha las nubes por detrás, al otro lado del cerro, hasta que las nubes se amontonan y aparecen de pronto sobre las peñas, como una bocanada negra, dando maromas y tronando, a vuelta y vuelta sobre el pueblo.

La gente ya lo sabe, y cuando ve que el agua pega por el lado de las Peñas, pues es la corredera por todas partes. En un momento se pone a llover duro y tupido, como si las nubes se hicieran trizas y se les cayera el agua a chorros y chorros.

Bueno, la gente corre a guarecerse y ya está. Pero, ¿y los adobes? ¿quién iba a ponerse a levantar los adobes, recién hechos y todavía aguados? Y van tres días que a eso de las cuatro de la tarde el agua viene derechito, como para no jerrarle, por el lado de las Peñas.

Y allá está la tormenta sobre la tendalada de adobes, desbaratándolos con sus chorros picudos. Los adobes quedan hechos torta y todo el asoleadero está como un lodazal.

—¡Pero con un tal, a quién jijos de la guayaba se le ocurre ponerse a hacer adobes en tiempo de aguas!

Layo se queda viendo aquello, meneando la cabeza. Le duele la espalda de tanto meterle a la parigüela. Los adobes ya no tienen forma de adobe. Parecen cuachas[16] de vaca.

---

[16] Cuacha: vulgarmente, en el noroeste del país, excremento de gallina.

—¡Me lleva el tren, Patricio! Tú no me dijistes que también esto de los adobes tiene su jerradero[17]...

—Deja que venga don Tacho, a ver qué nos dice. Ya van tres días que el agua nos friega los adobes.

Don Tacho fue ya casi para meterse el sol.

—Bueno muchachos, la de malas. Más vale dejarle pendiente a esto de la adobeada, hasta que haya un veranito. Seguirle dando sería tentar a Dios de paciencia. Tres días que llueve seguido y que ustedes trabajan de en balde. Vayan a la tienda a la noche para darles su alguito, ya ven que apenas los adobes que estaban más oriaditos resistieron la mojada...

Hilario y Patricio se van sin decir nada, caminando calles y calles hasta llegar a la plaza.

—Bueno, Layo, pues esto salió de la patada. Hay que entrarle otra vez al llano.

—Pues el trabajo es hallar dónde, porque en todas partes está la gente cabal. Con don Pancho ni modo, porque la chispeta la tiene Tonino.

—¿Y le dijistes a don Pancho que la ibas a empeñar?

—¿Qué le iba a decir, ¿mira éste pues? Nomás me salí así nomás.

—¿Y cuánto te emprestó pues Tonino?

—Cinco pesos, fíjate nomás. Y se gastaron en el muchacho que ni se alivió ni deja de chillar desde que nació.

—Pues ya verás, Layo, cinco pesos es poco. Vámonos con Tonino a decirle que si daca unos dos ponches, para que no nos vaya a hacer daño la mojada, ya ves que estábamos bien calientes cuando empezó la llovedera.

Tonino se portó rete gente. No fueron dos ni tres los ponchecitos. Después de todo, este Patricio tiene muy buenas ocurrencias. Lo de las tuzas del rancho de Espinosa y otras cosas todavía más curiosas. Lo cierto es que a cada rato se lo llevan a la cárcel. Y luego tiene que ponerse a hacer adobes, para componerse. Porque con los adobes no hay modo de hacer trampa. Escarbar, batir bien el lodo para

---

[17] Jerradero: herradero: acción y efecto de marcar o señalar con el hierro los ganados.

que no le queden terrones. Acarrearlo en la parigüela, y eso es todo. Luego, claro, hay que saber moldear. Remojar bien la adobera para que el adobe no se pegue. Luego echarle lodo hasta la mitad. Su puño de ocochal[18] para que amarre bonito, y luego se copetea bien la adobera para que apriete. Y ya nomás viene el rasador, y está listo el adobe.

Cuando Hilario y Patricio fueron a la tienda de don Tacho, hizo bien en no quererles pagar.

—Vengan mañana muchachos, y aquí se la curan. Ora ya estuvo bueno de emborrachada. Más vale, mejor váyanse a dormir.

—Ora sí hay velorio, Layo. ¡Uy, qué borracho vienes, hijo! ¿qué te está pasando pues? Fíjate, apenas si doña Cleta alcanzó a vaciarle el agua al angelito, así nomás, para que no se fuera a ir al limbo.

Allí estaba el niño sobre una mesita, entre cempasúchiles y clavellinas, con un vestidito de papel de china y una crucecita de oropel en la frente.

La mujer de Hilario estaba hecha mono en un rincón. No se sabía si lloraba. Unas mujeres iban y venían a traerle más flores al angelito. Hilario, cansado y bien borracho, se tiró en el suelo y al ratito ya estaba roncando.

Las velitas de sebo se apagaron a media noche. Entonces la mujer de Hilario se puso a llorar muy recio en su rincón. No tanto por el niño, que ya se lo había llevado Dios, sino porque no había más luces para velarlo y le daba pena su angelito, allí en aquella oscuridad.

Don Tacho supo lo del niño y le dio a Hilario dos pesos de más para que comprara el cajón. Hilario compró un cajoncito azul, así de chiquito, como una caja de zapatos. Estaba adornado con piedritas de hormiguero y tenía un angelito de hojalata, con las alas abiertas, encima de la tapadera.

Hilario se fue al panteón, en la tarde, con la cajita bajo

---

[18] Ocochal: ocoxal (pron. ocoshal; del azt. octl, ocote, y xalli, arena). Capa de hojarasca seca y basura que se forma al pie de los ocotes, en los bosques.

el brazo. Allá se peleó con el camposantero, porque hizo un pozo muy bajito, como de medio metro. Hilario tomó la barra y se estuvo escarbando hasta que se metió el sol.

Era el tiempo en que todo costaba más barato, cuando los peones ganaban sesenta centavos en las labores y cuando se pagaban a diez las colas de tuza. Al muchacho que andaba de cuervero le daban veinticinco centavos porque los espantara todo el día con su honda.

El niño de Hilario nació y se murió en la temporada de siembra. Cuando los cuervos van volando sobre los potreros y buscan entre los surcos las milpitas tiernas, que acaban de salir de la tierra y que brillan como estrellitas verdes.

La vida privada

Para publicar este relato no se me ha puesto más condición que la de cambiar los dos nombres que en él aparecen, cosa muy explicable, ya que voy a hablar de un hecho que todavía no acaba de suceder y en cuyo desenlace tengo la esperanza de influir.

Como los lectores se darán cuenta en seguida, me refiero a esa historia de amor que circula entre nosotros a través de versiones cada día más impuras y desalmadas. Yo me he propuesto dignificarla contándola tal como es, y me consideraré satisfecho si logro apartar de ella toda idea de adulterio. Escribo sin temblar esta horrible palabra porque tengo la certeza de que muchas personas la borrarán conmigo al final, una vez que hayan considerado dos cosas que ahora todos parecen olvidar: la virtud de Teresa y la caballerosidad de Gilberto.

Mi relato es la última tentativa para resolver honestamente el conflicto que ha brotado en un hogar de este pueblo. El autor es por lo pronto la víctima. Resignado en tan difícil situación, pide al cielo que nadie lo sustituya en su papel, que lo dejen solo ante la incomprensión general.

Digo que soy la víctima sólo por seguir la opinión corriente. En el fondo, sé que los tres somos víctimas de un destino cruel, y no seré yo quien ponga en primer término su propio dolor. He visto sufrir de cerca a Gilberto y a Teresa; también he contemplado lo que podría llamarse su dicha, y la he encontrado dolorosa, porque es culpable y ocul-

227

ta, aunque yo esté dispuesto a poner mi mano en el fuego para probar su inocencia.

Todo se ha efectuado ante mis propios ojos y ante los de la sociedad entera, esa sociedad que ahora parece indignarse y ofenderse como si nada supiera. Naturalmente, no estoy en condiciones de decir dónde empieza y dónde acaba la vida privada de un hombre. Sin embargo, puedo afirmar que cada uno tiene el derecho de tomar las cosas por el lado que más le convenga y de resolver sus problemas de la manera que juzgue más apropiada. El hecho de que yo sea, cuando menos aquí, el primero que abre las ventanas de su casa y publica sus asuntos, no debe extrañar ni alarmar a nadie.

Desde el primer momento, cuando me di cuenta de que la amistad de Gilberto empezaba a causar murmuraciones por sus constantes visitas, me tracé una línea de conducta que he seguido fielmente. Me propuse no ocultar nada, dar aire y luz al asunto, para que no cayera sobre nosotros la sombra de ningún misterio. Como se trataba de un sentimiento puro entre personas honorables, me dediqué a exhibirlo lealmente, para que fuera examinado por los cuatro costados. Pero esa amistad que disfrutábamos por partes iguales mi mujer y yo, comenzó a especializarse y a tomar un cariz que haría muy mal en ocultar. Pude darme cuenta desde el principio, porque contrariamente a lo que piensa la gente, yo tengo ojos en la cara y los utilizo para ver lo que ocurre a mi alrededor.

Al principio la amistad y el afecto de Gilberto iban dirigidos a mí, en forma exclusiva. Después, desbordaron mi persona y hallaron objeto en el alma de Teresa; pude notar con alegría que tales sentimientos hacían eco en mi mujer. Hasta entonces Teresa se había mantenido un poco al margen de todo, y miraba con indiferencia el desarrollo y el final de nuestras habituales partidas de ajedrez.

Me doy cuenta de que más de alguna persona desearía saber cómo empezaron exactamente las cosas y quién fue el primero que, obedeciendo a una señal del destino, puso la intriga en movimiento.

La presencia de Gilberto en nuestro pueblo, grata por todos conceptos, se debió sencillamente al hecho de que poco después de terminar su carrera de abogado, en forma sumamente brillante, las autoridades superiores le extendieron nombramiento de Juez de Letras para uno de los juzgados locales. Aunque esto ocurrió a principios del año pasado, no fue debidamente apreciado hasta el 16 de septiembre, fecha en que Gilberto tuvo a su cargo el discurso oficial en honor de nuestros héroes.

Ese discurso ha sido la causa de todo. La idea de convidarlo a cenar surgió allí mismo, en la Plaza de Armas, en medio del entusiasmo popular que Gilberto desencadenó de modo tan admirable. Aquí, donde las fiestas patrias no eran ya sino un pretexto anual para divertirse y alborotar a nombre de la Independencia y de sus héroes. Esa noche los cohetes, la algarabía y las campanas parecían tener por primera vez un sentido y eran la apropiada y directa continuación de las palabras de Gilberto. Los colores de nuestra enseña nacional parecían teñirse de nuevo en la sangre, en la fe y en la esperanza de todos. Allí en la Plaza de Armas, fuimos esa noche efectivamente los miembros de la gran familia mexicana y nos sentíamos alegres y conmovidos como hermanos.

De vuelta a nuestra casa le hablé a Teresa por primera vez de Gilberto, que ya había conocido de chico los éxitos del orador, recitando poemas y pequeños discursos en las fiestas escolares. Cuando le dije que se me había ocurrido invitarlo a cenar, Teresa aprobó mi proyecto con una indiferencia tan grande que ahora me llena de emoción.

La noche inolvidable en que Gilberto cenó con nosotros no parece haber terminado todavía. Se propagó en conversaciones, se multiplicó en visitas, tuvo todos los accidentes felices que dan su altura a las grandes amistades, conoció el goce de los recuerdos y el íntimo placer de la confidencia. Insensiblemente nos condujo a este callejón sin salida en donde estamos.

Los que tuvieron en la escuela un amigo predilecto y saben por experiencia que esas amistades no suelen sobrevivir a la infancia y sólo perduran en un tuteo cada vez más difícil y más frío, comprenderán muy bien la satisfacción que yo sentía cuando Gilberto reconstruyó nuestra antigua camaradería por medio de un trato afectuoso y sincero. Yo, que siempre me había sentido un poco humillado ante él, porque dejé de estudiar y tuve que quedarme aquí en el pueblo, estancado detrás del mostrador de una tienda de ropa, me sentía finalmente justificado y redimido.

El hecho de que Gilberto pasaba con nosotros las mejores de sus horas libres, a pesar de que tenía a su alcance todas las distracciones sociales, no dejaba de halagarme. Por cierto que me inquieté un poco cuando Gilberto, a fin de sentirse más libre y a gusto, puso fin a un noviazgo que parecía bastante formal y al que todo el mundo auguraba el consabido desenlace. Sé que no faltaron personas aviesas que juzgaron equívocamente el proceder de Gilberto al verlo preferir la amistad al amor. A la altura actual de las circunstancias, me siento un poco incapaz de negar el valor profético que tuvieron tales habladurías.

Por fortuna, se produjo entonces un incidente que yo juzgué del todo favorable, ya que me dio la oportunidad de sacar de mi casa el germen del drama, aunque en fin de cuentas, de modo provisional.

Tres señoras respetables se presentaron en mi casa una noche en que Gilberto no estaba por allí. Es claro que él y Teresa se hallaban en el secreto. Se trataba sencillamente de suplicar mi autorización para que Teresa desempeñara un papel en una comedia de aficionados.

Antes de casarnos, Teresa tomaba parte con frecuencia en tales representaciones y llegó a ser uno de los mejores elementos del grupo que ahora reclamaba sus servicios. Ella y yo convinimos en que esa diversión había acabado por completo. Más de una vez, indirectamente, Teresa recibió invitaciones para actuar en un papel serio, que se llevara bien con su nueva situación de ama de casa. Pero siempre nos rehusamos.

Nunca dejé de darme cuenta de que para Teresa el teatro constituía una seria afición, fomentada por sus gracias naturales. Siempre que asistíamos al teatro, ella se atribuía un papel y gozaba como si de veras lo estuviera representando. Alguna vez le dije que no había razón de que se privara de ese placer, pero siempre se mantuvo en su propósito.

Ahora, y desde que tuve los primeros indicios, tomé una resolución distinta, pero me hice de rogar, a fin de justificarme. Dejé a las buenas señoras la tarea de convencerme de cada una de las circunstancias que contribuían a hacer indispensable la actuación de mi mujer. Quedó para lo último el hecho decisivo: Gilberto había aceptado ya desempeñar el papel de galán. Realmente no había razones para rehusar. Si el inconveniente más grave era que Teresa debía representar un papel de dama joven, la cosa perdía toda importancia si su pareja era un amigo de la casa. Concedí por fin el anhelado permiso. Las señoras me expresaron su reconocimiento personal, añadiendo que la sociedad sabría estimar debidamente el valor de mi actitud.

Poco después recibí el agradecimiento un poco avergonzado de la propia Teresa. También ella tenía un motivo personal: la comedia que se iba a representar era nada menos que *La vuelta del Cruzado* [1], que en tiempos de soltera había ensayado tres veces, sin que se llegara a ponerla en escena. En realidad, tenía el papel de Griselda en el corazón.

Yo me sentí tranquilo y contento ante la idea de que nuestras ya peligrosas veladas iban por lo pronto a suspenderse y a ser sustituidas por los ensayos. Allí estaríamos rodeados de un buen número de personas y la situación perdería las características que empezaban a hacerla sospechosa.

Como los ensayos se realizaban por la noche, me resultaba muy fácil ausentarme de la tienda un poco antes de la hora acostumbrada, para reunirme con Teresa en casa de la honorable familia que daba hospitalidad al grupo de aficionados.

Mis esperanzas de alivio se vieron muy pronto frustradas. Como tengo voz clara y leo con facilidad, el director del grupo me pidió una noche, con un temor de ofenderme que todavía me conmueve, que hiciera de apuntador. La

---

[1] *La vuelta del cruzado:* drama en verso producido en 1842 por el mexicano Fernando Calderón (1809-1845).

proposición fue hecha un poco en serio y un poco en broma, para que pudiera contestarla sin hacer un desaire. Como es de suponerse, acepté entusiasmado y los ensayos transcurrieron felizmente. Entonces empecé a ver con claridad lo que sólo me había parecido una vaga aprensión.

Yo nunca había visto dialogar a Gilberto y a Teresa. Es cierto que podían sostener apenas alguna conversación, pero no había duda de que entre ellos se desarrollaba un diálogo esencial, que sostenían en voz alta, delante de todos, y sin dar lugar a ninguna objeción. Los versos de la comedia, que sustituyeron al lenguaje habitual, parecían hechos de acuerdo con ese íntimo coloquio. Era verdaderamente imposible saber de dónde salía un continuo doble sentido, ya que el autor del drama no tenía por qué haber previsto semejante situación. Llegué a sentirme bastante molesto. Si no hubiera tenido en mis manos el ejemplar de *La vuelta del Cruzado* impreso en Madrid en 1895, habría creído que todo aquello estaba escrito exclusivamente para perdernos. Y como tengo buena memoria, pronto me aprendí los cinco actos de la comedia. Por la noche, antes de dormir, y ya en la cama, me atormentaba con las escenas más sentimentales.

El éxito de *La vuelta del Cruzado* fue tan grande, que todos los espectadores convinieron en afirmar que no se había visto cosa semejante. ¡Noche de arte inolvidable! Teresa y Gilberto se consagraron como dos verdaderos artistas, conmoviendo hasta las lágrimas a un público que vivió a través de ellos las más altas emociones de un amor noble y lleno de sacrificio.

Por lo que a mí toca, pude sentirme bastante tranquilo al juzgar que esa noche la situación quedó en cierto modo al descubierto y dejaba de pesar solamente sobre mí. Me creí apoyado por el público; como si el amor de Teresa y Gilberto quedara absuelto y redimido, y yo no tuviera más remedio que adherirme a esa opinión. Todos estábamos realmente doblegados ante ese verdadero amor, que saltaba por encima de todos los prejuicios sociales, libre y consagrado por su propia grandeza. Un detalle, que todos recuerdan, contribuyó a mantenerme en esa ilusión.

Al terminar la obra, y ante una ovación realmente grandiosa que mantuvo el telón en alto durante varios minutos, los actores resolvieron sacar a todo el mundo al escenario. El director, los organizadores, el jefe de la orquesta y el que pintó los decorados recibieron justo homenaje. Por último, me hicieron subir a mí desde la concha. El público pareció entusiasmado con la ocurrencia y los aplausos arreciaron a más y mejor. Se tocó una diana y todo acabó entre el regocijo y la alegría de actores y concurrentes. Yo interpreté el excedente de aplausos como una sanción final: la sociedad se había hecho cargo de todo y estaba dispuesta a compartir conmigo, hasta el fin, las consecuencias del drama. Poco tiempo después debía comprobar el tamaño de mi error y la incomprensión maligna de esa complaciente sociedad.

Como no había razón para que las visitas de Gilberto a nuestra casa se suspendieran, continuaron, de pronto, como antes. Después se hicieron cotidianas. No tardaron en ejercitarse contra nosotros la calumnia, la insidia y la maledicencia. Hemos sido atacados con las armas más bajas. Aquí todos se han sentido sin mancha: quién el primero, quién el último, se dedican a apedrear a Teresa con sus habladurías. A propósito, el otro día cayó sobre nosotros una verdadera piedra. ¿Será posible?

Nos hallábamos en la sala y con la ventana abierta, según es mi costumbre. Gilberto y yo, empeñados en una de nuestras más intrincadas partidas de ajedrez, mientras Teresa trabajaba junto a nosotros en unas labores de gancho. De pronto, en el momento en que yo iniciaba una jugada, y aparentemente desde muy cerca, fue lanzada una piedra del tamaño de un puño, que cayó sobre la mesa con estrépito en medio del tablero, derribando todas las piezas. Nos quedamos como si hubiera caído un aerolito. Teresa casi se desmayó y Gilberto palideció intensamente. Yo fui el más sereno ante el inexplicable atentado. Para tranquilizarlos, dije que aquello debía ser cosa de un chiquillo irresponsable. Sin embargo, ya no pudimos estar tranquilos y Gilberto se despidió poco después. Personalmente, yo no lamenté mucho el incidente por lo que tocaba al juego, ya que mi rey se hallaba en una situación bastante precaria, después de una serie de jaques que presagiaban un mate inexorable.

Por lo que se refiere a mi situación familiar, debo decir que se operó en ella un cambio extraordinario desde *La vuelta del Cruzado*. Francamente, a partir de la representación Teresa dejó de ser mi mujer, para convertirse en ese ser extraño y maravilloso que habita en mi casa y que se halla tan lejos como las propias estrellas. Apenas entonces me di cuenta de que ella se estaba transformando desde antes, pero tan lentamente que yo no había podido advertirlo.

Mi amor por Teresa, es decir, Teresa como enamorada mía, dejaba muchísimo que desear. Confieso sin envidia el engrandecimiento de Teresa y la eclosión final de su alma como un fenómeno en el cual no me fue dado intervenir. Ante mi amor, Teresa resplandecía. Pero era un resplandor humano y tolerable. Ahora Teresa me deslumbra. Cierro los ojos cuando se me acerca y sólo la admiro desde lejos. Tengo la impresión de que desde la noche en que representó *La vuelta del Cruzado,* Teresa no ha descendido de la escena, y pienso que tal vez ya nunca volverá a la realidad. A nuestra pequeña, sencilla y dulce realidad de antes. Esa que ella ha olvidado por completo.

Si es cierto que cada enamorado labra y decora el alma de su amante, debo confesar que para el amor soy un artista mediocremente dotado. Como un escultor inepto, presentí la hermosura de Teresa, pero sólo Gilberto ha podido sacarla entera de su bloque. Reconozco ahora que para el amor se nace, como para otro arte cualquiera. Todos aspiramos a él, pero a muy pocos les está concedido. Por eso el amor, cuando llega a su perfección, se convierte en un espectáculo.

Mi amor, como el de casi todos, nunca llegó a trascender las paredes de nuestra casa. Mi noviazgo a nadie llamó la atención. Por el contrario, Teresa y Gilberto son espiados, seguidos paso a paso y minuto a minuto, como cuando representaban en el teatro y el público, palpitante, esperaba con angustia el desenlace.

Recuerdo lo que cuentan de don Isidoro, el que pintó los cuatro evangelistas de la parroquia, que están en las pechinas de la cúpula. Don Isidoro nunca se tomaba el trabajo de pintar sus cuadros desde el principio. Todo lo ponía en manos de un oficial, y cuando la obra estaba ya casi terminada, cogía los pinceles y con unos cuantos trazos la transformaba en una obra de arte. Luego ponía su firma. Los evangelistas fueron la última obra de su vida, y dicen que don Isidoro no alcanzó a darle sus toques magistrales a San Lucas. Allí está efectivamente el santo con su belleza malograda y con la expresión un tanto incierta y pueril. No puedo menos de pensar que a no haber sobrevenido Gilberto, lo mismo hubiera ocurrido con Teresa. Ella habría quedado para siempre mía, pero sin ese resplandor final que le ha dado Gilberto con su espíritu.

Está de más decir que nuestra vida conyugal se ha interrumpido por completo. No me atrevo a pensar en el cuerpo de Teresa. Sería una profanación, un sacrilegio. Antes, nuestra intimidad era total y no estaba sujeta a ningún sistema. Yo disfrutaba de ella sencillamente, como se disfruta del agua y del sol. Ahora ese pasado me parece incomprensible y fabuloso. Creo mentir si digo que yo tuve en otro tiempo en mis brazos a Teresa, esa Teresa incandescente que ahora transita por la casa con unos pasos divinos, realizando unos quehaceres domésticos que no logran humanizarla. Sirviendo la mesa, remendando la ropa o con la escoba en la mano, Teresa es un ser superior al que no se puede acceder por parte alguna. Sería totalmente erróneo esperar que un diálogo cualquiera nos llevara de pronto hacia una de aquellas dulces escenas del pasado. Y si pienso que yo podría convertirme en troglodita y asaltar ahora mismo a Teresa en la cocina, me quedo paralizado de horror.

Por el contrario, a Gilberto lo veo casi como a un igual, aunque él sea quien ha producido el milagro. Mi antiguo sentimiento de inferioridad ha desaparecido por completo. Me he dado cuenta de que en mi vida hay siquiera un acto en que he estado a su propia altura. Ese acto ha sido la elección y el amor de Teresa. La elegí simplemente, como la habría elegido el mismo Gilberto; de hecho, tengo la impresión de que me le he adelantado, robándole la mujer.

Porque él habría tenido que amar a Teresa de todas maneras, en el primer momento en que la hallara. En ella se ha corroborado nuestra afinidad más profunda, y es en esa afinidad donde yo he marcado una precedencia. Aunque no dejo de considerar también lo contrario, y acepto que Teresa sólo me amó a causa del Gilberto que soñaba, siguiéndole las huellas y buscándolo en vano dentro de mí.

Desde que dejamos de vernos, al terminar la escuela primaria, yo sufrí siempre ante la idea de que todos los actos de mi vida se realizaban muy por debajo de los actos de Gilberto. Cada vez que venía al pueblo de vacaciones, yo lo evitaba con sumo cuidado, rehusándome a confrontar mi vida con la suya.

Pero más en el fondo, si busco la última sinceridad, no puedo quejarme de mi destino. No cambiaría el lote de humanidad que he conocido por la clientela de un médico o de un abogado. La hilera de clientes a lo largo del mostrador ha sido para mí un campo inagotable de experiencias y a él he consagrado gustosamente mi vida. Siempre me interesó la conducta de las gentes en trance de comprar, de elegir, de aspirar y de renunciar a algo. Hacer llevadera la renuncia a los artículos costosos y grata la adquisición de lo barato, ha sido una de mis tareas predilectas. Además, con una buena parte de mi clientela cultivo relaciones especiales que están muy lejos de aquellas que rigen de ordinario entre un comerciante y sus compradores. El intercambio espiritual entre estas personas y yo es casi de rigor. Me siento verdaderamente complacido cuando alguien va a mi tienda a buscar un artículo cualquiera y vuelve a su casa llevando también un corazón refrescado por algunos minutos de confidencia, o fortalecido con un sano consejo.

Confieso esto sin la menor sombra de orgullo, ya que al fin y al cabo soy yo el que está proporcionando ahora el tema para todas las conversaciones. Lealmente, he tomado mi vida privada y la he puesto sobre el mostrador, como cuando cojo una pieza de tela y la extiendo para el detenido examen de los clientes.

No han faltado algunas buenas personas que se exceden en su voluntad de ayudarme y que se dedican a espiar lo

236

que ocurre en mi casa. Como no he podido renunciar voluntariamente a sus servicios, he sabido que Gilberto hace algunas visitas en mi ausencia. Esto me ha parecido incomprensible. Es cierto que el otro día Teresa me dijo que Gilberto había ido a casa por la mañana, a recoger su cigarrera, olvidada la noche anterior. Pero ahora, según mis informantes, Gilberto se presenta por allí todos los días, a eso de las doce de la mañana. Ayer, nada menos, vino alguien a decirme que fuera a mi casa en ese instante, si quería enterarme de todo. Me negué resueltamente. ¿Yo en mi casa a las doce? Ya me imagino el susto que se llevaría Teresa al verme entrar a una hora desacostumbrada.

Declaro que toda mi conducta reposa en la confianza absoluta. Debo decir también que los celos comunes y corrientes no han logrado visitar mi espíritu ni aun en los momentos más difíciles, cuando Gilberto y Teresa han cometido de pronto una mirada, un ademán, un silencio que los ha traicionado. Yo los he visto quedarse silenciosos y confundidos, como si las almas se les hubiesen caído de pronto al suelo, unidas, ruborizadas y desnudas.

No sé lo que ellos piensan ni lo que dicen o hacen cuando yo no estoy. Pero me los imagino muy bien callados, sufrientes, lejos el uno del otro, temblando, mientras yo también me pongo a temblar desde la tienda, con ellos y por ellos.

Y así estamos, en espera de no se sabe qué acontecimiento que venga a poner fin a esta desdichada situación. Por lo pronto, yo me he dedicado a dificultar, a descartar, a suprimir todos los desenlaces habituales y consagrados por la costumbre. Tal vez sea en vano esperarlo, pero yo solicito un desenlace especial para nosotros, a la medida de nuestras almas.

En último caso, declaro que siempre he sentido una gran repugnancia ante la idea de la magnanimidad. No es que me desagrade como virtud, ya que la admiro mucho en los demás. Pero no puedo consentir la posibilidad de ejercerla yo mismo, y sobre todo contra una persona de mi propia familia. El temor de pasar por hombre magnánimo me aleja de cualquier idea de sacrificio, decidiéndome a conservar hasta el fin mi bochornosa posición intolerable; sin embargo, trataré de permanecer en ella hasta que las circunstancias me expulsen con su propia violencia.

Sé que hay esposas que lloran y se arrodillan, que imploran el perdón con la frente puesta en el suelo. Si esto llegara a ocurrirme con Teresa, todo lo abandono y me doy por vencido. Seré por fin, y después de mi lucha titánica, un marido engañado. ¡Dios mío, fortalece mi espíritu en la certidumbre de que Teresa no se rebajará a tal escena!

En *La vuelta del Cruzado* todo acaba bien, porque en el último acto Griselda alcanza una muerte poética, y los dos rivales, fraternizados por el dolor, deponen las violentas espadas y prometen acabar sus vidas en heroicas batallas. Pero aquí en la vida, todo es diferente.

Todo se ha acabado tal vez entre nosotros, sí, Teresa, pero el telón no acaba de caer y es preciso llevar las cosas adelante a cualquier precio. Sé que la vida te ha puesto en una penosa circunstancia. Te sientes tal vez como una actriz abandonada al público en un escenario sin puertas. Ya no hay versos que decir y no puedes escuchar a ningún apuntador. Sin embargo, la sociedad espera, se impacienta y se dedica a inventar historias que van en contra de tu virtud. He aquí, Teresa, una buena ocasión para que te pongas a improvisar.

El fraude

A partir de la muerte del señor Braun, las estufas Prometeo comenzaron a fallar inexplicablemente. Un olor de petróleo llenaba las cocinas, y las estufas apagadas, humeantes, se negaban a funcionar. Se registraron algunos accidentes: depósitos que ardían, tuberías explosivas. Los técnicos de la casa Braun, alarmados, se pusieron a buscar las causas del fenómeno, idearon nuevos perfeccionamientos, pero llegaron con ellos demasiado tarde. En medio del desconcierto general, una firma enemiga controló el mercado de las estufas, precipitó la quiebra y sepultó el prestigio Prometeo en una barahúnda de publicidad sanguinaria.

La opinión de las personas interesadas en este asunto me señala como al principal de los culpables. Acreedores furiosos denunciaron mis actividades al frente de la casa, hablaron de fraude y pusieron mi honradez en entredicho. Y todo esto gracias a que fui el último en saltar del barco que se hundía y porque di las órdenes finales a una tripulación en desbandada.

Ayer me encontré por última vez ante el cortejo de contadores y notarios que liquidaron los negocios de la quiebra. Tuve que soportar una investigación minuciosa acerca de todos mis asuntos personales, y naturalmente salieron a cuento mis «pequeñas» economías. Escribo esta palabra entre comillas para dar a entender el acento con que fue pronunciada por uno de los escribas. Poco ha faltado para que yo le pusiera las manos encima; me contuve y le tapé la boca con cifras. Hablé de sobresueldos, de gratificaciones y del uno por ciento adicional que yo disfrutaba sobre el volumen de ventas de la casa Braun. El hombre quedó más convencido por la violencia que por la fuerza de mis razones. No me importa.

Hablando con toda justicia, el fracaso de la casa Braun es un lamentable conjunto de fracasos entre los cuales se encuentra el mío y en primera línea. La última fase de esta lucha comercial fue un duelo entre publicistas, y yo lo he perdido. Sé muy bien que el adversario empleaba armas ilícitas, y es fácil demostrar que el cincuenta por ciento del desastre se debió a una profunda labor de sabotaje, dirigida por nuestros competidores y ejecutada por un grupo de empleados infidentes a quienes yo puedo nombrar. Pero no tengo ninguna urgencia por recobrar la situación perdida. El profundo viraje de mi espíritu hace innecesarias todas las aclaraciones. ¿Por qué no decirlo? Me siento un poco de espaldas al mundo.

Era indispensable defender mi honradez y lo he conseguido. Con eso basta. Pero lo grave es que las famosas economías se me han hecho insoportables. Cualquier persona razonable puede afirmar que me pertenecen legalmente; sin embargo, yo no veo esto muy claro con mis nuevos ojos. El señor Braun ganaba su dinero construyendo y vendiendo las estufas; yo gané el mío convenciendo al público de que debía comprarlas. Proclamé su calidad a los cuatro vientos y conseguí elevar la marca Prometeo a unas alturas que asombraban al mismo señor Braun. Pues bien, ese prestigio se halla ahora por el suelo; numerosas personas han sufrido pérdidas considerables, todo el mundo se queja mientras yo conservo intacto mi botín. El dinero, guardado en la caja de un banco, está pesando sobre mi conciencia.

Los pensamientos de culpa, en asalto cada vez más intenso, han derrumbado las últimas defensas del egoísmo. Desde luego, era muy fácil desprenderme del dinero arrojándolo a aquel puñado de imbéciles que dudaban de mis manejos, pero creo sinceramente que no debo malgastarlo dando lecciones a los tontos. He encontrado algo mejor. Me parece conveniente hacer algunas aclaraciones.

En otros tiempos yo hubiera sido un juglar, un mendigo,

un narrador de cuentos y milagros. Descubro mi vocación demasiado tarde, alcanzada la madurez y a la mitad de un siglo en donde no caben ya esta clase de figuras. De todas maneras, he querido contar mi fábula a dos o tres pobres de espíritu, ofrecer mi colección de miserias a unos cuantos ingenuos rezagados.

Sé que ha habido muchos hombres que se transforman de pronto, para bien o para mal. Habían vivido disfrazados durante una gran parte de su vida, y un día cualquiera, ante el asombro de las gentes, se mostraron santos o demonios, en su forma verdadera. Naturalmente, yo no puedo aspirar a una metamorfosis de este género; sin embargo, reconozco que en mi actitud está obrando una pequeña dosis de sobrenatural. Después de todo, el impulso absurdo que me mueve a desprenderme de un puñado de dinero podría convertirse en la energía superior que tal vez originara otras acciones más altas. Bastaría con que yo acelerara el ritmo de ciertos pensamientos y los dejara llegar a sus consecuencias finales. Pero...

También yo estoy como una estufa que funciona mal; desde la muerte del señor Braun, tengo escrúpulos y remordimientos. A partir de esta fecha se ha iniciado dentro de mí un trabajo oscuro y complicado. Una savia recóndita se ha puesto en movimiento, allí en las más profundas raíces, atormentándose con el sentimiento de una renovación imposible. Débiles brotes tratan de abrirse paso a través de una corteza endurecida.

Vivo a merced de los recuerdos. Más bien, los recuerdos se me imponen como sueños, dejándome confuso y apesarado. Tengo la impresión de que una droga, absorbida quién sabe cuándo, ha dejado de obrar. La conciencia, liberada de la anestesia, se entrega a imaginaciones infantiles. Me cuesta trabajo cerrar la puerta a estas cosas: a una noche de navidad poblada de sonidos y resplandores; a un juguete preferido; a un claro día de sol en que iba corriendo por el campo...

Todo esto se originó aquel día memorable en que al abrir la puerta de su despacho, encontré al señor Braun de bruces sobre su escritorio, sin dar señales de vida.

Después vinieron días desordenados y veloces. La ruina de la casa, el escándalo de la quiebra, cayeron sobre mí como una lluvia de escombros. Los errores y las quejas, el descontento y las reclamaciones, fueron haciendo blanco en mi espíritu. Inconscientemente me coloqué en primera fila, puse una cara de responsable y contribuí al fracaso invirtiendo fuertes sumas de dinero en una campaña de publicidad tan inútil como dispendiosa.

El señor Braun no se murió así de golpe. Reclamamos para él todos los auxilios de la ciencia y obtuvo dos horas de agonía. Nunca olvidaré esas dos horas interminables, que pertenecían a la eternidad, ni la imagen del señor Braun ahogándose en la muerte, rodeado de taquígrafas, de médicos, de empleados consternados y asistido por aquel sacerdote, que apareció misteriosamente, y que en medio de la confusión pudo arreglárselas para poner en orden los asuntos del moribundo aterrorizado, que murmuraba frases incoherentes, relacionadas más bien con el futuro desastre de las estufas Prometeo que con los negocios de su alma.

Una segunda inyección ya no produjo sino un periodo de convulsiones cada vez más débiles. Los médicos abandonaron la tarea comprendiendo que la muerte señoreaba la oficina del señor Braun. Yo me encontré trastornado en tal forma, que recibí algún auxilio médico en prevención de una posible crisis. Cosa curiosa, en el momento más agudo de mi conmoción, ante el cadáver de mi jefe, no encontré en mi repertorio de publicista sino una reacción infantil: recordé el final de una oración semiolvidada y me llevé las manos al rostro en un gesto de vaga persignación.

Como todos los magos, el señor Braun se llevó a la tumba el secreto de sus fórmulas. Presencié el desarrollo de sus negocios y le asistí como el empleado más cercano y principal, pero aguardé siempre en vano a que me iniciara en el secreto de sus combinaciones. Esto me habría capacitado tal vez para conducir con acierto los asuntos de la casa, pero nunca pasé del rango de acólito. Esta palabra me parece buena porque el señor Braun ejercía una especie de sacerdocio dentro de la religión materialista que proclama la felicidad del hombre sobre la tierra. Su aportación personal a las comodidades humanas consistía en la estufa Prometeo, cuyos modelos se renovaban cada año, siguiendo el ritmo del progreso. Predicaba un paraíso hogareño, modesto y económico, en el que la estufa tenía un rango de altar, en una cocina limpia y grata como un templo.

Yo fui el magnavoz de sus sermones, el amanuense aplicado que registraba sus aciertos cotidianos, el autor de las cartas circulares que llevaban la buena nueva a las amas de casa, a las cocineras sudorosas y ennegrecidas al pie de las hornillas milenarias.

A pesar de su posición elevada, el señor Braun se complacía en volver a los primeros tiempos. Abandonaba de vez en cuando la oficina suntuosa para ir a vender personalmente una estufa, tal un dignatario que desciende de su cátedra para socorrer a un humilde.

Sus ademanes eran entonces graves y solemnes. Cargaba lentamente el sifón de petróleo, abría los reguladores mientras hablaba emocionado acerca del moderno sistema de gasificación, a prueba de malos olores y accidentes. Y al acercar un fósforo encendido a la rodela del quemador, su rostro tenía una expresión ansiosa, ligeramente coloreada de espanto, como si la idea de un fracaso turbara un momento su espíritu. Cuando crecían las llamitas azules, el señor Braun desplegaba una sonrisa de beatitud que envolvía y disipaba todas las dudas de su cliente.

Recordando estas escenas, y a pesar de la ruina y el descrédito, yo sigo creyendo que las estufas Prometeo son buenas, y en gracia de esta convicción estoy dispuesto a sacrificar cuanto poseo. Si las estufas no sirven, yo no tengo nada que hacer; abandono tranquilamente la causa y dejo las utilidades en otras manos más limpias. Mi procedimiento es sencillo y su eficacia está fuera de duda: «Se compran estufas descompuestas, marca Prometeo» y en seguida mi nombre y mis señas. Publicaré mañana este anuncio en un diario popular.

Juego a cara o cruz. Apuesto contra la opinión de las gentes. Que vengan ahora los notarios y las víctimas a decir que soy un farsante.

Pienso con alegría que mi gesto constituye el mejor homenaje que puede hacerse a la memoria del señor Braun.

He dejado pasar un buen espacio de tiempo sin resolverme a agregar estas líneas. No sé cómo hacerlo; me siento un tanto cohibido frente a los acontecimientos que han transformado mi vida. Al relatar un hecho claro y natural tengo la impresión de que voy a hacer, por primera vez, una trampa.

El anuncio, publicado en un diario popular, produjo un resultado pasmoso. A los dos días tuve que suspender provisionalmente la compra de estufas porque ya no tenía dónde ponerlas. En mi casa, las había hasta debajo de la cama. Mis economías se hallaban seriamente afectadas.

Cuando estaba decidido a no comprar una estufa más, llegó la señora vestida de negro, con el pequeño Arturo de la mano. Un carrito la seguía, conduciendo una estufa grande como un piano. Era una de aquellas Prometeo Familiar, orgullo de la casa Braun, dotada con ocho quemadores, horno para repostería, calentador automático para el agua y no sé cuántos aditamentos más. Desalentado, me llevé las manos a la cintura, y en esa actitud desapacible me sorprendió un trance decisivo.

La señora y yo no teníamos que cruzar sino las palabras indispensables acerca de la estufa. En todo caso, disponíamos de mil lugares comunes para sostener una conversación cualquiera. Pero nos extraviamos misteriosamente. Por el ancho camino de las palabras triviales y ordinarias, siguiendo un método sencillo de preguntas y respuestas, fuimos a dar a un desfiladero. Desembocamos de pronto en una de esas comedias que la vida improvisa en cualquier parte y que son obras maestras del azar, con un mínimo de texto.

Nuestra situación se hizo insoportable a fuerza de natural: éramos tres personajes convergentes y un destino imperioso se apodero de nosotros, dispuesto a manejarnos hasta un final ineludible. Yo me sentía conducido, aconsejado, mientras labraba y remachaba eslabones; frases inocentes que nos ligaban como cadenas.

En realidad, lo que yo estaba diciendo me lo sabía de memoria. Representaba mi propia personaje y no lo había hecho antes porque nadie me daba las réplicas exactas, aquellas que iban a disparar el mecanismo de mi alma.

Por fortuna, comprendimos muy pronto que nuestras dos partes formaban un diálogo perfecto y no era necesario repasarlo hasta el final. Ya tendríamos tiempo para eso. Lo que un poco antes habría parecido raro, difícil, imposible, quedó convertido en el más sencillo y natural de los posibles.

Llevo la vida de otros sobre las espaldas. El fantasma del señor Braun ha dejado de perseguirme. Rostros claros ocupan ahora el lugar de antiguos nubarrones.

Bajo la carga, me siento caminar con pies ligeros, no obstante mis cuarenta años cumplidos.